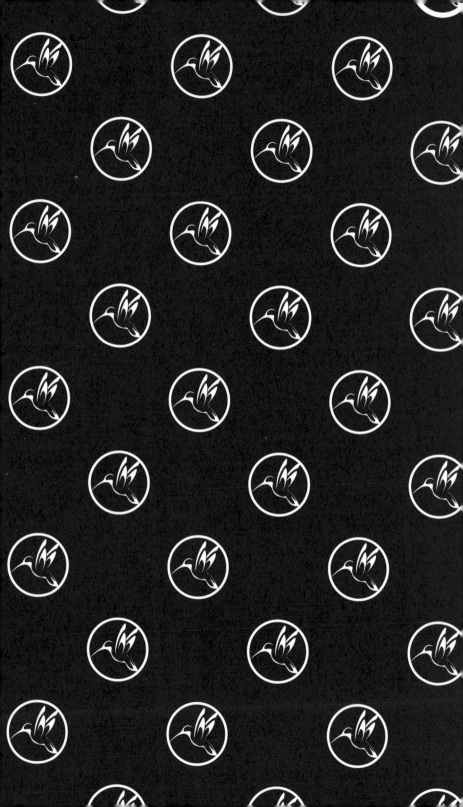

Héctor Torres
Translated by Kolin Jordan

The Relentless City:
Chronicles from Caracas

Vientos

Original Title: Caracas Muerde: Crónicas de una guerra no declarada
© original text: Héctor Torres
© edition & translation: Siete Vientos, Inc.

Translation
Kolin Jordan

Editorial Direction
Daniel Parra Álvarez, Kolin Jordan

Contributing Editors
Miguel Jiménez, Anaís Ávila

Book Layout
José Gregorio Bello

Cover Art
José Manuel Vargas

Photography
Nohely Ron

© 2021
Siete Vientos, Inc.
Chicago, Illinois 60622

e-mail: info@sietevientos.com
www.sietevientos.com

Library of Congress Catalogue Control Number: 2020945014
ISBN: 978-0-9831392-8-7
Printed in the United States of America

$24.95
ISBN 978-0-9831392-8-7
52495>

9 780983 139287

For Rosa Carrillo, who ignored the obsessions that fed that melancholic boy when he read Wilde's stories before bed.

Acknowledgements

*To Orlando Verde, who told me
what the title of this text should be.*

*To Oscar Marcano and Ángel Alayón, whose precision
helped me reach the perfect pitch for these texts.*

*To Lennis Rojas, my first reader, who never holds
back his honest observations of my potential mistakes.*

Table of Contents

A Caracan Criminal

for Daniel Prat and Vicente Ulive

But I'm tryin', Ringo. I'm tryin' real hard to be the shepherd
Jules Winnfield

The anecdote is surely apocryphal. But reality is a wonderful snake oil salesman. According to the story, in the original script for the movie *Domino* (Tony Scott, 2005), the character "Choco" was a Mexican criminal. After being cast, the Venezuelan actor, Edgar Ramírez, suggested to the director that it be changed to a Caracan criminal. Every time the director said no, the actor insisted. This back-and-forth lasted until the former, if only to be done with it, agreed to give it a try.

Ramírez got into character and went out on set with a shotgun in one hand, dancing to an unheard song while he walked toward an imaginary hostage tied up on the floor and, after kicking him with disdain, he said, *"Párate, mamagüevo!"*

The way he walked, held the gun, the cruel kick...but overall, the music with those words that he didn't understand, must have produced a certainty in Scott's mind: If Choco was going to express the necessary violence and scornful evil that his character dictated, it had to be what he was seeing.

That is, a Caracan criminal.

Caracas lacks a disposition that would make it understandable. The only logic it lives by is its urban legends, intuitions, and the prejudices of its inhabitants. Occupying the same valley, they live in superimposed cities that don't communicate with each other.

Eduardo is a resident of one of *those* Caracas. Far from the gangsters in *Domino* and the wakes in the *barrios* (the funeral homes don't accept shooting victims), he lives in his Caracas Plaza Las Américas and Galerías Los Naranjos. A Caracas southeast of Guaire, with urbanized hills that require you to have a car to get around, barricaded behind bars, guard houses, closed circuits, and a profound mistrust of the unknown. A Caracas that lives its illusion of normalcy inside its comfortable ghettos.

But he learned to extend the limits of his Caracas, applying his equation that said with *fewer privileges comes more freedom.* As a result, he buys the needle for his old record player at Tele Cuba in Catia. And he has a few beers in La Candelaria. And he goes in and out of the stores on Baralt with confidence.

His city is much bigger than his neighbors'.

But even still, he felt it suffocating him. One day he became aware of that and of the magnitude of the map of exile among his loved ones. As a result, and because there wasn't anything important in his barricaded Caracas, he drew up an itinerary to reencounter the part of his world he'd renounced—a country that lives, eats, and breathes two invariable themes: the deliriums of a tiny emperor and the violence that surrounds him.

One of his first destinations was Barbés, a neighborhood north of París that looks a bit like Catia, if Catia were clean and didn't float on a cushion of gunpowder. His hosts warned him about the area and its inhabitants, about the difficulty of understanding the *verlán* (the criminal French) and they suggested, finally, that he adjust his understanding of danger to fit that landscape.

That last part they repeated every day during the first week, every time they saw him return from his long walks at night. "Keep underestimating the danger and one day you'll get yourself stabbed," they warned.

One night he walked along the platform of the 2 train when he saw two guys walking toward him with feigned distraction. They looked Arabic and were around twenty years old. Eduardo, who blended right in on the streets of Caurimare, looked exactly like the kind of "rabbit" that these guys regularly targeted. But he, survivor of a city at war, figured out what they were up to from the first moment they saw him and thought about pointing him out to each other.

The M.O. is universal. They walked with agility, making noise in his direction. They did it occupying the space in such a way that it would be impossible to evade them. They walked, yelled in their language, hit each other, and snuck looks at him from time to time. Eduardo weighed the probabilities of getting out of the trap unscathed. One misstep on one of their parts opened the probability in the form of a hole he used to pass *alongside* and not *between* them. Surprised at the rabbit's reflexes, they activated their contingency plan. In the middle of their pantomime game, the one on the end pushed the other toward Eduardo, who stuck out his elbow and waited for the guy's ribcage. The unexpected victim, surprised and indignant, started to yell at him in an incomprehensible variant of French as a last effort to put him in his place.

The culture is what's forgotten, or so they say. Maybe that's why the reader of Carver and Bukowski already read Poe and Chekhov, but doesn't remember them. And the "reader" of *Pulp Fiction* already "read" Carver and Bukowski without even knowing it.

And because of those obstinate threads of fear and violence, Eduardo, who's from that Caracas of mild-mannered urbanization south of the river, is also a son of the city with fifty cadavers piled up in the morgue in Bello Monte every weekend. And a half-brother of killers like Los Capri, who filmed their executions with their cell phones to put them online. And an heir to this daily fratricide which at times favors Cain and at others Abel, under a traffic light, at a bank, in the line at a parking lot. Cain and Abel, or an indifferent witness of the body they picked up 24 hours after having been killed. And author of the sadistic scenes in which he mentally kills his boss, his neighbor, the guy on the motorcycle he saw robbing a girl on the highway, someone who honks his horn to announce that he's arrived. Witness, executor, and accomplice (even by omission) of all this violence. Even of the tiny misdeed of running a red light.

Savage DNA that yearns to be civilized.

It could be because of all of the above that, accosted in the Metro at París by two of the owners of those streets, without a compass or a map outlining the escape routes, seeing the hand with the knife appear, the one they'd warned him would appear at any moment, he'd yelled with that accent that isn't Caribbean or Andean while, as if they'd rehearsed it, he stretched out his arm and pointed as if leveling an imaginary gun, possessed by that city that would never be far enough away to stop digging in its teeth, "What, you wanna say some shit, motherfucker? Keep walking!"

It's liberating to swear at the top of your lungs, without a twinge of modesty, on a platform full of people who understand the intention but not the significance. And discover that to be Caracan is to be Caribbean. And being Caribbean is, in some remote way, to be African. And those phonemes of dry syllables wrapped in ancestral intonation that sing, and threaten, and survive, and terrify, those that enchanted Scott, dissuaded two thieves on the París Metro who confused a dog (domesticated, but hardened on the toughest streets on Earth), with a distracted rabbit.

"Are you crazy? Those are bad people, Eduardo. You have no idea," said one of his hosts when he told them the story.

"Crazy? No. Caracan. I would have been ashamed to tell people I was attacked in París." he responded.

PREMONITIONS

Y también me dijo, no te mortifiques
que yo le envío mis avispas pa' que lo piquen
Juan Luis Guerra

No one knew how it wound up standing there. One morning Herminia and her daughters were woken up by its barking and saw it from the balcony. It had become trapped on the other side of the rails on the street-level Metro lines two blocks from the station. From where it was standing it could see the approaching cars and the pedestrians on the other side of the metal fence, but instinct said it shouldn't try to cross the minefield of the rails. It walked back and forth and barked sporadically, whenever hunger, thirst, or fear dug their knives of distress a little further into it.

Five days later, ever weaker and disoriented, it continued its periodic routine of barking, walking back and forth, and moving its tail nervously. Herminia, who was a mother after all, called the authorities begging for someone to rescue it, but no one did anything at all.

"We're taking care of it," they'd say, as if on a recording.

The dog died little by little right in front of the thousands of cars and people who, at all hours, formed part of the indifferent river that, toward the end, offered little more than a quick and curious glance.

Do you want a more graphic metaphor for how hard it is to be alone in this city?

Although having someone looking out for you still isn't a guarantee of anything. The bullets get caught up with the bodies of children whose parents took their eyes off them for less than a second. And go into homes uninvited. As a result, those who are able to be with their families every night have every right to celebrate life.

It's a shame some don't appreciate their good fortune. Herminia is well aware that being with her daughters is a celebration, but she also knew that at that moment, in this city, in this country, everything was uncertain. She could never calm down until she was holding her daughters at six in the evening (if her bosses didn't give her any last minute assignments and the Metro was running on time), every day, after picking them up from school, having lunch with them, leaving them alone, and returning to work at the lawyers' office, until that magical time when life regained its color and sound.

Her daughters knew the warnings by heart and repeated them without taking their eyes off the TV. "Don't open the door for anyone." "We're not alone; our mom is in the bathroom."

And as if overcoming those masochistic thoughts that lived off the daily nightmare that the media regurgitated wasn't already a full-time job, a few days earlier her eldest daughter told her that someone had been calling the house during the afternoon, and hanging up without saying anything.

After three days of the same episode being recounted every night, overwhelmed by so much reality and so many dark thoughts, she went to Sambil after work and bought a cell phone: "Don't answer the landline. If it's me, I'll call you here. Are we clear?"

Hell took the form of text messages with horrible spelling: "Mom, they keep callin, wut do i do?"

Herminia, reading this text, couldn't help but think how lonely the building is during the day[1]. But what could she do if life consisted of paying for an apartment in which to cook, sleep, and keep kids safe during the afternoon?

On the fourth day she took them home as always and, when it was time for her to go back to work, something told her she was wrong to leave them alone. But where in the Employee Handbook does it allow for "premonition" as justification for an excused absence?

She left more distressed than ever.

It wasn't even three thirty when she received the text. She saw the name and realized that the premonitions were slowly coming true. And they'd blow up in her face if she didn't do

---

[1] According to numbers from the INE, in 2009 there were 395,754 crimes in houses and apartments across the country.

something. At that very moment the girl from accounting was telling her about a group of thieves who demanded everyone's Blackberry in a movie theater, locating them by Bluetooth.

She didn't make a mistake. She read: "Mom, their's some guys outside and there nocking."

A chill ran through her body. What had been a pervasive fear took on a frightening solidity. A raging fire birthed in her blood made her grab her purse and start heading home without saying anything to anyone. Over and over she saw the awful scene of lonely hallways with neighboring apartments as empty of adults as her own, with men coldly trying to enter her house, which they had previously skillfully x-rayed with the worst intentions.

Her legs couldn't rise to the occasion. Her head, either. Nor her lungs. No part of her body was helping her with the colossal task of getting her the nine stops and two blocks back home. Least of all her head, which delighted in picturing still frames of broken doors, a ransacked apartment, girls trembling in a closet or under a bed.

A pain smashed her spine and made her choke back groans.

When the train finally arrived at Colegio de Ingenieros, a thin, dry man with a penetrating and caustic odor that suited his overall appearance, boarded the car. He wore a kind of long white shirt with blue embroidery, sandals, and a little hat. A mat of long grey hair acted as a beard and made his sharp cheekbones and nose barely visible. He walked slowly, with a gaze divorced from his body, and he sat right next to her. Soon he started to intone some chants that sounded like long-dead languages, letting his hands float into the air, as if he were a blind man about to touch something. A cold stone walked up Herminia's sides.

After a little while he stopped and lightly leaned his head in her direction and with a sad smile full of greenish teeth said, "It was a tough fight, but the maestro is stronger. We've overcome."

And without another word, he got off at the next stop.

Far from feeling better, Herminia's uneasiness grew. She was no longer uneasy, she was pissed. The absurd scene where this stranger spoke to her infuriated her. This stupid city and the fact that she wasn't a man and didn't carry a gun in her waistband enraged her. She was incensed at time, itself for becoming thick at the least opportune moments and for not being able to fly, disappear, pulverize her enemies with her mind.

She got to her stop, walked the same two blocks as always and walked up the same two flights of stairs as always. She would have gladly given her life to have found the gate closed as always.

It wasn't necessary for her to bargain with her life. But that did little to placate the terror that gripped her like a wrench. She had to see them, examine them, make sure they were whole, intact, smiling, innocent. When she put the key in the lock, her heart jumped when she noticed the scars from pliers or some other tool.

But it was locked. She had no idea who to thank for the invention of that old mechanism that resisted heroically, doing its job. And proclaimed with modest pride that the only people in her house were her daughters.

(To tell the truth, those guys tried everything. There are days where you just have bad luck and you can't do anything about it. Everything was planned and it all went wrong. They broke a drill bit, a vice grip froze up, a couple old ladies came down the stairs, they were alerted to some police on the corner. It was a shit job they had to give up on.

"This thing must have some kind of powerful spell on it, dude," said the guy who believed in that sort of thing, and they decided to give up on the job that they had seemed destined to pull off.)

She closed the door behind her and saw her girls sitting on the sofa, watching TV. Hugging them, feeling the incredible softness of their skin and the smell of warm milk, one, and ripe strawberry, the other, was like opening the floodgate on the deluge that had been welling up in her. She cried, holding them tightly, from the very bottom of her lungs. The girls were concerned. But soon, since there was no explanation, the eldest tried to escape so as not to miss the movie. The youngest, when she could speak, got right to the point: "Mom, did you bring us anything?"

Concerning the Stellar Twenty-First Second

Y dibujaron su muñequito e' tiza en la acera
Desorden Público

A motorcycle shoots up Macaracuay Avenue swerving around the cars in the fast lane[2]. The two guys perched on the bike are wearing their invisibility cloaks: jackets, dark glasses, and hats. It's the second time they've driven past the mall's corner, but people tend to overlook those details.

It's 2:55 p.m. on payday. The city feels like a full balloon someone keeps pumping air into. The bike with the invisible men comes down the road and heads back up. The guy on the back swears. The signals received are vague and there are lots of people on the street. Friday afternoons when it's payday offer the best marks, but it isn't for just any thief. "You've gotta have balls," they say to puff themselves up. Apparently the target (or the marlin, colloquially) should have already left the mall. They scour the street to find the person who fits the description sent on the phone: fat, dark-skinned, tall, fanny pack, blue t-shirt and a *"los cerveceros de mibloque"* hat.

"Conejo isn't serious even when he's working," one guy yells to the other.

Just then, among the throng of people, he sees the "all-in-one" rushing toward the station, eyeing the bus that was approaching. The bike hops up on the roundabout and roars down the other side swerving around cars and pedestrians before slamming on its brakes in front of the bus that had just come to a leisurely stop like a tired pachyderm. The invisible man who's sitting on the back dismounts and spies the marlin about to get into the fish tank. The line is more or less empty. The only people in it are: a) a fat lady, b) the mark in question, c) an old guy that looked Spanish, and d) a dark-skinned girl

---

[2] As you can see, with the adjustments in the time period, the saying "A bongo climbs the Arauca bordering the ravine on the right shoulder" hasn't lost its meaning at all.

with headphones. Joining the scene: a guy of about forty with a little girl of ten running up to get in line.

The attacker descends upon his target. The driver stays on the bike, ready to take off. There's no need for words. A gun gives anyone permission to search anyone else without having to give an explanation. The scene unfolds just like every Caracan has studied it for when his time comes to live it.

It's in their genes, like part of an innate survival kit.

The guy goes straight for the fanny pack, then the left back pants pocket, and the fat man's right sock. The cashier's face with its rabbit-like teeth is overwhelmingly clear in the victim's mind.

"Dirty motherfucking son of a bitch," he thinks to himself.

Everything stops without interrupting the flow of the scene. Everyone is looking, but no one sees anything. The old man locks himself in his newspaper, the girl shuts her eyes so she can see the Oasis concert coming out of her headphones, the woman vehemently fixes her gaze on the floor, and the forty-something who had finally managed to reach the station, sees what's happening, and hugs the girl, discreetly covering her eyes with his hands.

The rest of the line-up plays their parts well. Everyone (the bus driver, the passengers in the first rows, the people walking by on the sidewalk) picks up their pace, becomes weightless, empties the contents of their pupils, silently skirting the subject.

Something buzzes in his ears, setting the first plane apart from the rest of the scene, and somehow the murmur on the street stays completely intact: cars, horns, motorcycles, sirens, people engaged in faraway conversations... Everything's there in a thick babbling that's losing its weight. All the thin rage of this payday finds its release in an explosion of tiny personal orgasms. The pressure diminishes and those that understand are surprised and secretly celebrate that they aren't holding the winning ticket in that raffle.

The scene becomes heavier, congealing, losing steam, until it becomes a still frame that could have been the snapshot that accompanies the chronicle of the end of someone's world.

The fat man complies docilely. He feels a chill that drowns

out his hearing. He doesn't know if he's scared but he knows he's no longer angry. Not for the time being. He's just anxious for it to be over soon. The guy takes the loot, his cell phone, and the Milwaukee Brewers hat out of sheer felonious habit, and walks with aplomb toward the motorcycle.

That long and repeated scene takes less than twenty seconds.

And time rolled over to the twenty-first second.

It turns out the little girl's father was a cop. He pushed her toward me, since I was in front of them, and I held her tightly because I suspected what was coming. He gave two steps to one side and, with his legs apart and his hands grabbing his gun, he yelled, "Freeze!" The guys, of course, paid no attention. Right then and there he laid them out. Brutal!

Come on—it didn't go down like that. The truth is that the attacker got back to the bike and got the surprise of his life when he saw two cops putting his accomplice in handcuffs and another pair of policemen, who were waiting in front of the bus, motioning with their guns for him to hurry up. As far as I was concerned they should string them up by their dicks.

You couldn't have seen anything because as soon as you caught a glimpse of that gun you shoved your face in your newspaper. The truth is that the would-be victim wasn't alone. When the thief approached him with the gun in his hand, the guy's friend put an even bigger gun to the back of the attacker's neck. The one on the bike sped off without waiting for his friend. They're probably still beating the shit out of the guy at that bus stop right now.

No, be serious. I saw them as soon as they pulled up. The guy with the gun got off and I figured the one on the bike was probably unarmed. I felt powerless and, without even thinking about it, I threw the bus in gear and put the hammer down. Since the other guy didn't expect to see his buddy under the wheels, the fat man took advantage of the situation and immobilized him with a key. Right there the crowd descended upon him and beat him with umbrellas and purses.

All of those versions are delicious. All of them, in their impotence, give us a fantasy of justice, of redemption in the face of so much abuse. But life isn't a movie and at the twenty-first second, the guy gets back on the bike and they take off.

Just as they dip out of sight down the avenue, the volume of the scene gradually starts to come back. People get back in their rhythm, start to breathe, to make comments, and ask stupid questions. "How much did they take, brother?" "Did you see his face?" "Was the hat authentic?" "Did you put your money away in front of the cashier?" "Was all that cash yours?"

The fat man looks at them like he's just woken up in Peking. He looks at them like a dog that came down the sidewalk, oblivious to Caracas and its miseries. Amid the barrage of questions, in the growing murmur of life regaining its rhythm, the first conclusions start to line up in his head. He sees the party that he was going to that night as something far off, like something from a nebulous past. The beers and talks of the World Cup seem far away. He's worried about getting back to the office without the twelve-thousand bolivars they sent him to withdraw. And without a bullet in his leg, which was the worst part. He thinks about this last part and it seems so suspicious that even he doubts his own innocence. He thinks about the progression of the story, the engineers' faces, and Jenny the secretary's when he tells them about it. He thinks about the payroll and the faces of the workers.

He thinks, *What a fuckup, the guilt is etched into my face.*

On the bus everyone participates in the conversation about the robbery. Everyone, except him. He and the forty-something who's with his daughter and who made an effort to talk to her about other things. When the subject starts to die down among the passengers, the man asks the girl, who's sitting silently looking melancholically out the window, "What's wrong, honey?"

She says, "I feel bad for the guy. He looks like he's about to cry."

No One Reads in This Country!

for L.R.

She loved to read the classics. She returns to them when new books start to feel repetitive. One evening, returning home after work, she went into a nearby bakery. A copy of *The Iliad* accompanied her, tucked under her right arm. She bought bread, milk, and cheese, and placed the book on the counter to look for the money in her wallet. While she waited for her change, she stood silently for a moment in front of the guy who had served her; looking at him, he was obviously Portuguese. The guy craned his neck and squinted, looking intently at the book. She wasn't sure why, but when these things happen she had a tendency to get a little defensive.

"The Iliad," the guy read aloud.

She nodded, a little uncomfortable, and prayed silently that he'd hand over her change quickly, and what would follow wouldn't be a joke, a stupid question, or an inappropriate comment.

The cashier worked like the engine of an old tractor in a movie.

"I like that one," said the Portuguese guy, nodding with a grave gesture. "But I like *The Odyssey* better. It's prettier. This one is very bloody."

*

You could say that Homer's texts are known all over the world. But what happened to her a few years earlier is much more intriguing. "Suspicious," an exponent of conspiracy theories might say. On this occasion she was on a bus reading a book by Augusto Mijares.

Lo afirmativo venezolano, *if I remember correctly*, she thinks.

Although he came to be Minister of Education, Mijares is little known even among Venezuelans, which shouldn't be a surprise. A friendly acuity usually accompanies his reflections on education. Reading him is like listening to advice from a wise grandfather who, rather than politely scolding us, makes us see our errors with discrete erudition.

She sat very close to the front door with her book and, unexpectedly, the bus driver, glancing out of the corner of his eye, said, as if talking to himself, sighing while his arms followed a precise choreography with the immense steering wheel and the gearshift lever, "Augusto Mijares. It's so important that we read what he has to say! If people read him more, this country wouldn't be in the state it's in."

*

You've got to live it to understand what a Metro car at seven in the morning is like. She was reading a 1973 edition of *País portátil*. A relic.

"I'll lend it to you if you take good care of it," said the guy who let her borrow it.

"Of course, yeah, please! Not a problem," is how she should have responded, but she knew that her smile was better than a thousand words at melting the hearts of the owners of the books she wanted. And so, she smiled in silence.

She went from one side of Caracas to the other on the Metro, reading that Andrés Barazarte did the same on the bus. Suddenly, in the middle of the heat and the crowd, she found the letters to be gradually evaporating. Or, more accurately, as if they were undergoing a quick and continual degradation toward a light grey (reaching 5% black, as people familiar with graphic design would say). The chill started to run up her legs. The sounds around her became hollow, while her own breathing started to shut them out. The chill gave way to a tranquility. Enormous. Total.

She woke up sitting on a seat on the train. There were people all around her. A Metro employee studied her silently.

"She woke up!" she heard someone say, and realized they

were talking about her.

Fainting on the Metro, she thought, the easiest way to give away all your things. Her eyes pleaded for her bag.

"Everything is here, honey," said a dark-skinned man who held it out with care.

Being careful not to offend, she did a hidden rough estimate of the most important contents: wallet, phone, keys...and the book?

She has a frank laugh. A clean laugh, without hidden bad intentions. But on certain occasions that laugh becomes mysterious. It happens, for example, when someone wants to appear intelligent in the course of a conversation and no other course of action occurs to them but to visit the familiar topic of, "no one reads in this country."

On those occasions, her clean laugh takes on a strange tone, a mysterious solemnity that intimidates the unfortunate speaker, together with a light rocking of her head from side to side. She could regale them with a few of her stories, but she sticks to saying, "There's a little of everything. Don't fool yourself."

THE DECEIT OF STOP MOTION

When I was a child
I caught a fleeting glimpse
Out of the corner of my eye
Roger Waters

On that corner there was a pole.

Swerving around a car at about forty miles per hour, a motorcyclist performed an unexpected maneuver that launched him into the air. During his ephemeral flight he saw his bike spin on the asphalt like a wasp, and while he was thinking of how much fun it would be to retell this story to his wife, he felt the lights go out with a snap.

His temerity was so famous that they called him The Cat. But, either his luck had run out, or he had just come to the end of his ninth life, because the impact with the post fractured his skull from one side to the other.

Since no one is ever given their lines for the next scene, not even two weeks later, while fleeing from his responsibility in an accident, a minibus driver became the motorcyclist's avenging angel, tearing the post out at the roots and dragging it various feet in his flight.

There will always be those that speculate that if the two events had been reversed, the biker would have received praise instead of prayers. Which is like saying that a fatality is punctuated more by the moment than by the place in which things happen.

*

Life gave Yelitza enough evidence, in addition to an excess of time and silence, to come to that conclusion. Seeing how she started to fade out of the pictures of the outings that her former friends posted on Facebook, was one reason to think about it.

She had been in that place, but contrary to the evidence of that time, it wouldn't be her turn to be in the moment.

Although the lines weren't perfect, her life's drawing was pretty far along. It included a spot she earned as a solo violinist in a philharmonic. And an admirable control over her tendency toward obesity. And an estranged father whose presence manifested itself as digits in a bank account, which became a little car, buying clothing that caught her eye, nights out, and walks on the beach... a comfortable life as a bachelorette. That drawing outlined the not-far-off decision to think about being an orchestral conductor in some European city.

At some point, that judicious girl who lived in her one-bedroom apartment without having to worry about paying the rent, decided that her map was too meticulously sketched out that it would do her good to have a little fun exploring other routes.

Learn a bit about the world beyond the orchestra.

And, believing that it would be a little diversion on her path, she took notice of the rotund guy who was nice, witty, flirtatious, playful, happy, reckless, irresponsible, cheating, disorganized, chaotic, lying, and fun. Now she couldn't remember who had introduced them.

It couldn't be said that anyone fooled her. To her all those adjectives seemed adorable when they were embodied in The Cat, who was as his name suggested. She was sure that this fun shortcut that made jokes about the names of the pieces she was creating, would never be an obstacle in her solidly drawn path toward her musical career.

But life has the deceptive rhythm of stop motion. You think you're tending to the laborious passage of the days, taken one frame at a time, fighting an uphill battle, and then you realize that in reality the movie is already underway. And suddenly you're reading the credits. And in that frame by frame, for a little fun and maybe due to a little rebelliousness, Yelitza started to go out with The Cat more and more frequently, and started to enjoy his company, and found it enchanting that he didn't know anything about music, but he danced so well. In one picture she was falling in love and in the next they were shut away in her apartment having sex all afternoon, and in the next she was pregnant, and in the next her dad flipped his shit on the phone, and in the next she was thrown out of her paradise, and in the next they laughed happily at not having anything to eat, living at The Cat's house, an hour outside Caracas.

At the time, on the occasional evening she'd still take out her viola and play a little.

While she was laughing and breathing, giving up each and every one of the privileges she'd enjoyed throughout her life didn't matter to her at all. She came to the conclusion that it was comfortable but tedious. She didn't mind losing the friends that weren't capable of understanding their love. "Whoever doesn't respect my decisions doesn't respect me," she said. She didn't mind selling her car to buy a crib and a motorcycle for The Cat. "We don't need a car and he can go to work on the bike." She could justify his lying and cheating. "He's childish, but very noble," she said before forgiving him. She picked him up at the hospital every time he barely escaped some reckless thing on his motorcycle. "You really do have nine lives, you know!"

It was fun: they always reduced his accidents to jokes.

But if there's one thing that's hard, it's maintaining your laughter when the world that surrounds you looks at you with pity and, even worse, when one day, where there used to be a solid map, you see a fissure growing in your convictions.

One day someone asked her who the girl was in the picture stuck in the mirror where she brushed her hair. She looked at the image as if looking at a stranger and studied the details as if seeing them for the first time: the curly shoulder-length hair, the black dress, the determined look, the viola in one hand and the bow in the other. "That was me," she heard herself say, adding—as if to confirm that she was headed toward a slope with no brakes—"I was pretty, wasn't I?"

And it turned out the child was born sickly. And laughter startled him. And The Cat disappeared more frequently and for longer periods each time. And that morning when he went out (who knows where he'd spent the night) without knowing that he was wearing his ninth life, she didn't love him anymore.

And he left his ninth on a post. And she wasn't surprised that she didn't feel anything.

*

Borges once said that just as things can duplicate themselves, things in Tlön tend "to blur and lose details when people forget them." Toward the end of her movie, in that house an hour outside Caracas, with an absent boy who would always be a baby, intuiting that she was fading away in silence, vanished from the pictures on Facebook's walls, from invitations to parties, concert Playbills, friends' conversations, and every form of communication with that faraway life, Yelitza crossed the street every evening to see if she could help her neighbor— an old lady in a big house facing hers who also lived alone like she did.

During those long periods of insomnia where she avoided the mirror so she wouldn't catch sight of her own reflection, she consoled herself thinking that so long as the lonely old lady waited for her every evening, she will not have disappeared entirely.

But one night she smacked into a thought as unwavering as a post, and it gutted her. What if purgatory is precisely crossing the street every evening to visit another ghost forever?

The Invisible Nature of Things

*I may not be as smart, but believe I know women
better than Freud and I do know what they want.
They don't want sex, they don't want brains. They want romance.*

Guillermo Cabrera Infante

Anyone getting off the Metro at around seven in the morning feels like he's just had sex with someone he can't stand even a little. He feels something that isn't fatigue, or disappointment, or heat, or regret, or disgust, but includes a bit of all of those things.

The feeling of being aboard the Metro is a contemporary version of a biblical punishment. So much so that we could translate the words of ancient scribes to our time to illustrate the power of their god: hitting, screaming, formless tumult, long periods of waiting, suffocating heat, unchained fury, desolation... And from the roof, like thunder, the voice of the prophet Ali-the-First, showing those who earn their living on hard mornings in exchange for a shitty salary, exactly what life is like for those that earn their living on hard mornings in exchange for a shitty salary[3].

People walk along hallways and sidewalks and they know, even without being able to see it, that the rarified air is announcing the advent of *something*. They cast furtive glances in every direction, confused and worried, hurrying their steps, like dogs when they perceive the presence of things that shuffle in parallel dimensions in the darkness of our homes.

The height of heat. A gelatinous tectonic plate. A human river, literally. All the viruses, anger, lechery, humors, floating and rubbing themselves on each other. That's the Metro. As if that weren't enough of a soup with just people who have homes to sleep in, let's not mention those that regale the passengers

---

[3] Once, it occurred to the Metro management company to play music by the protest singer Alí Primera at all hours. It's very probable that they stopped when they realized that the situation in the country was starting to look dangerously close to what the musician denounced in his songs.

with tragic stories in exchange for a few pennies. (How is it that the system's authorities don't notice the legless guy who passes under the turnstile dragging himself along on a worn-out skateboard?) That's the Metro. It's mugging and suicide. And the person who cuts in line. And the factory of paranoia of that subterranean river that moves to the force of labor of the city.

A factory of paranoia, but also of hope.

In *The Shawshank Redemption* (Frank Darabont, 1994), the prisoner Andy Dufresne locks himself in the office where they control the PA system and he inundates the yard with an aria from *The Marriage of Figaro*. Immediately hundreds of men lift their stunned gazes before that box that unleashed such dangerous words: beauty, compassion, harmony, delight, fragility, pleasure, sensuality, woman, humanity, hope, softness, sweetness... Ellis Boyd, another prisoner, comments (off camera): "I have no idea to this day what those two Italian ladies were singing about. Truth is: I don't want to know. (...) I like to think they were singing about something so beautiful it can't be expressed in words, and makes your heart ache because of it. (...) And for the briefest of moments, every last man at *Shawshank* felt free."

And speaking of having sex with someone you can't stand in the slightest, the girl with the denim skirt and the sad look asked herself over and over how she came to wake up in that hotel last Saturday morning. And with that guy! She does a mental re-count: the party with her classmates, the false euphoria of the group, the cocktails at some nightclubs, and that impulse that alcohol gives to women who want to feel sexy. She thinks and laments that sometimes life is a pool of lies whose disguise doesn't survive the dawn.

She's daydreaming about her misfortune, one foot in the train car when the Guitarist enters the scene. "Okay everyone, a little music to lighten the mood..." he recites by heart and starts to earn his living with a version of a ballad that's very popular on the radio. He moves throughout the train car singing and playing until he bumps into our circumstantial emo chick.

That foreign sound makes her feel the same impersonal fatigue she feels as a result of everything that comes from the outside world. He's walking but stops in front of the girl who's standing looking at the floor. She scoots her body back so he can move along, so he can leave with his odd happiness as far (and as soon) as he can. He ignores her body language and stops to sing sweetly while looking at her eyes, which try to avoid him.

Like an expertly placed charge of TNT, a few minutes was all it took to achieve his objective: behind the demolished wall, a smile of flattery spread across the face that was determined to maintain its anger and pain intact. This total stranger gave her what she didn't even know she needed without asking for a thing in return. Without alcohol, without a hotel.

He finished his song, took up a collection among the passengers, and moved on to the next car to continue making his living. Without looking back, like heroes in a movie, leaving a smile etched in marble on that face. So much so that when she is finally able to sit down, she closed her eyes to stretch it out even more, so that reality couldn't destroy it. And she traveled to an island, in a respite from her pain, in a sweet parallel dimension of that city/hospital that only accepts sour, anguished, resentful people.

And he disappeared forever, completing his mission, leaving a possibility of life in his wake. Opening windows through which the narrow world widens for those that earn their living without hope or taking any kind of pleasure in it. Disinfecting the atmosphere of bilious and corrosive insults. Breathing a little breeze on her heart.

The redeemed girl, with a half-smile and her eyes still closed let the phrase "He's an angel" slip from her lips. A man of about fifty was sitting next to her wearing a classic looking cream-colored, almost translucent *guayabera*, and holding a shabby bible covered in fake leather between his hands that repressed the smallest of tremors, solemnly confirmed what she said. He added that he must be involved in the heavenly wars in the fight against evil. That he himself had witnessed the battles against sanguine demons. Facing the girl's pleasant smile, the old man, lowering his voice confided that once late at night he saw with his own eyes (pointing first to one, then to the other) as they unfurled their enormous beautiful pearly wings, with which they ascended after the battle's climax. "Hallelujah, sister," he said, shaking, moved by his own story.

And, in spite of the delirious tone of his speech, he spoke the truth. Or one of a series of truths. Although the girl didn't stop seeing him as just a friendly, crazy old man. And although the man's pupils, crossed by a crimson delta, might drown in the liquid hell of the delirium tremens. That thing that makes itself known, like the dogs in our darkened homes, that decries the parallel life in which moves the invisible nature of things.

Screenwriter's Block

for Fabrizio

Bloodied angels fast descending
Moving on a never-bending light
Black Sabbath

Sweeping a street, from end to end, at one in the morning, is one of those jobs no one wants to do. But someone winds up doing it. A broom and shovel, Metro stop to Metro stop, one moment diminishing the little piles of garbage and another monitoring the horizon, the street sweepers resemble the screenwriters of the nocturnal city. Through all their walking they wind up seeing the patterns as if the strings that animate life were becoming visible. As soon as they take a peek, everything that happens finds its home in the infinite movie that plays in the street.

At night, the street sweepers are as invisible as red lights, pay phones, and streetlamps. As a result, they are privileged spectators. Like ghosts they pass through the scenes without appearing on camera or being seen by the actors. From there they distinguish between good and bad, the guilty and the innocent, the victim and the victimizer.

Whatever costume they decide to put on.

Ramón has been sweeping San Martín Avenue for years. He can smell danger a block before it materializes. That's why he stayed calm when he saw the little group of four guys speaking quietly and walking quickly toward him. He didn't have to ask for their IDs to know they were clean.

But the cops are another story. Anyone armed with an automatic handgun and a badge will never feel anything as sharply as someone who can only brandish a broom and shovel. The former's tools dull his senses, which is bad enough, but worse than that, they debase his character with that venom called "power."

Since you don't have to be smart to aim a gun, Ramón saw one thing and the two cops in the patrol car saw another. As a result, they couldn't let them just pass by. As a result, like angels of false fury, they cut them off by running the nose of the car onto the sidewalk. As a result, their Power kicked in when they saw the terrified faces lit up in the headlights. As a result, they got out of the car with their guns in their hands, barking orders which the kids obeyed before even understanding them. They obediently stood against the wall, their IDs in their hands as high as they could put them.

There was fear in the gesture, but there was also excitement in starring in the experience that the older dudes bragged about. Although they never take into account the variant of "number." In this case, it consisted in that one of them, let's call him Kevin, unlike the others, didn't have the well-known little piece of laminated paper in his hand.

If it had just been about cleaning the street, Ramón would have let them go. But you don't reason the same way when you have a broom instead of a gun and a badge. And so the cops, seeing those faces and the hand that wasn't holding the ID, they intuited in the moment the presence of what would be considered the extra bit, rounding up to the nearest ten, the "tip." The business, as it were.

What Ramón finds, maybe once a year, in the form of a chain or a watch on the ground.

And so the scene that they played out with such frequency that it almost caused them to yawn between Parliaments kicked off: Where are you coming from? Where are you going? And your ID, kid? (Raised eyebrows responding to the stammering of the one complicit in the crime of having left his wallet at home. Theatrical whispers softly breaking off from the group. Stoney faces as they came back.)

"Get in the car," one of them said.

"We were at my house, and we came down to go with them to get a cab, because we were celebrating my birthday," said one reckless guy who could have remained invisible.

"Was I talking to you, idiot? Want me to stick you in the trunk and drive you around a bit?"

The aforementioned guy answered in the negative.

"These kids are pissing me off. Now all of you: in the car," said one of the corrupt gods of fury with his face full of pimples and reeking of halitosis.

The boys obeyed clumsily. Ramón, invisible, walking through the scene, shook his head while he kept sweeping. Disobeying a furious god is something only someone with the gift of invisibility can do.

The resin Zeus pretended to play cards, fanning the three IDs that he was holding. The IDs symbolized lives held in his powerful hands. He talked distractedly with his partner outside the car. Everything was prescribed. People feel surprised when they find themselves in an old, repeated scene for the first time. Everything new seems real. Inside, the guys talked amongst themselves. They talked to banish their own versions of waking up in jail the next morning. The flashes of images embedded icy needles in their spines that synthesized into words in their heads: Felons, addicts, solitary confinement, cells, rape, night, wake up, police, silence, darkness, back to back, don't cry, faggot...

Zeus' breath interrupted the quiet meeting, heralding his face full of acne that filled the window, and he said: "The birthday boy and you other two—get lost. You without the papers—you stay."

And he opened the door.

None of them dared to move.

"So you all want to go for a ride? Fine. Let's all go to Zone Seven, then."

And he slammed the door with finality.

Zeus' partner got into the driver's seat and closed the door, stomping on the gas, making the car's engine roar. Kevin, shitting himself in the back seat with his friends, felt a cold sweat creep down his neck. Someone pulled a thread that was stuck to each of their stomach linings.

But Ramón knows everything that's going to happen on the street as soon as the situation appears. Like an old projectionist in a small town, he knows how every movie ends. Which is why he was bored watching the scene where Zeus' rat-breath wafted out the window as he hinted at their salvation: "Let's make a deal. I'm hungry and want some chicken. What are we going to do about that?"

Two blocks down and eighty bolivars lighter, robbed as a group, without a cab but free from nightmares, they returned to the birthday boy's house. Seen optimistically, they'd paid for a screenplay that would stretch until it reached epic proportions during the following weeks.

Ramón watched them until they faded from view, the police on one side and the boys on the other, with a mixture of pity and tedium. Returning to his routine, he found an almost intact newspaper on the ground. He picked it up, and before putting it in the bin, he read about a guy who had demanded 1.5 million dollars of another so as not to arrest him.

"This one didn't want a chicken—he wanted the whole coop," he said to himself, no longer surprised by anything.

And he continued on, invisible, broom and shovel, Metro stop to Metro stop, looking at the little piles of garbage one moment and the regarding the horizon the next, bored, like a screenwriter whose ideas have all dried up.

AT THE CHECKPOINT

for my siblings. Parents with a "P."

The poor cousin of fear is anger
Thomas Lynch

Alberto is a normal guy. He works hard, has a family, tries to make it to payday, he loves his son... A normal guy, one of those that's bothered by the daily news. Alberto loves his son, and whenever he reads something like what happened in Kennedy[4], he thinks that his son, who studies at the UCV, won't say no when a classmate says: "Come with me to take the girls home. I get a funny feeling going alone." There's nothing you can do about it: living in Caracas, living in Venezuela, living in the first years of the 21st century, is like taking two turns in a row in a forced game of Russian roulette. Or, even worse, you get picked at random to play Venezuelan roulette (every time you lose, you keep playing).

Although the older generation says it's always been this way, Alberto thinks that so many wandering soldiers, so many civil police, so many guns, so much defense of war, so many militant fanatics ready to act, so much *crime*, isn't something that's been around forever. You can't wave it away with a simple "it's always been this way."

---

[4] To make a long story short: one night during the week, playing war, a dozen hooded men bearing heavy machine guns set up a checkpoint at the entrance to that neighborhood on the south side of the city. They claimed to be forces of the Office of Military Intelligence. A group of university students were traveling in a car (they were going to give one of their classmates a ride, because they left late and, to psych themselves up, they went in a group of three girls and two boys) and, seeing the hooded men gesturing for them to pull over, they obviously sped up. The murderers followed them, shooting their powerful guns, severely injuring all of them. Still alive, they tried to get out of the car, terrified and not understanding the reasons behind the cruelty, not understanding why they were sentenced to death. They caught up to them and killed them like cowards. They turned the two boys into sieves. One of the girls never recovered from her injuries. One of those that conducted the operation was a woman.

Alberto leaves that morning for work. Not everyone is happy earning a living working for someone else. And we've already said that our hero is a normal guy. The mornings on the way to work are full of that thing in the middle of the road between tedium and desperation. That's exactly why there are "lite" programs on the radio.

Alberto tries to find a point of equilibrium in the face of so much reality: one month ago they broke in and shot up a building close to where his mother lives. Two weeks ago they started to talk about expropriation again. One week ago, a leader who dresses in Italian clothes and Swiss watches warned, "We have to buy local goods," while he carried on in his account of "nationalization."

Alberto still can't live with cynicism. He resists. He thought about where he'd find his breaking point, listening without paying attention to the radio personalities' fake laughter, when he hears a bang on the side of his painstakingly-cared-for pickup.

His reaction is to cast his gaze to the side the sound had come from. In his rearview mirror he sees the silhouette of a motorcycle and a man dressed in green sitting on it. He passes by on one side and understands immediately that: a) the bike with the solider on it has to do with the bang—the one on the side of his truck, don't fool yourself—; and b) the guy isn't going to stop. The chains, the threat, the women training to join the patrimonial guard, the neurotic version of the deeds of the professional protesters, the international press' sporadic interest in looking for the "noble savage" in this neck of the woods, the scarcity that becomes routine, so many guns and so much green together, all of that explodes in front of him. In his face.

Furiously and imprudently he yells out the window: "For fuck's sake, are you going to just drive off?"

The guy on the bike doesn't act like a citizen with civic responsibility. He acts like a man in uniform with military authority. People are resigned to the fact that in Venezuela a uniform isn't a service, it's authority. That's what they teach you in the military academy. The bike stops carelessly alongside. The man gets off and sneers, in that tone that people who have a gun and a belt tend to use: "C'mere so I can see what I did."

The communication theorists say that this is all predetermined. The polarization, the threat, the arrogance... Alberto just knows that he doesn't want to drive around in a scratched truck, because the poverty that looms over his world and his life is held off by the little energy he has left.

"Come here? No! You come here. You were the one that scratched my truck," he says.

The soldier smiles, in control of the situation, and approaches calmly. *If you don't know how to drive, don't leave the barracks, asshole*, Alberto thinks while he looks at the scratch that marks another step in his descent.

The soldier stands beside him and, with a half-smile, asks, "What is it I'm supposed to have done? That little scratch?"

Alberto knows his limits, which are many, and the length of his patience, which is short. This kind of impertinence is an invitation to turn a normal morning commute to work into a confusing episode in the local military base. With beatings included. And even a file opened for subversion, which isn't hard to manage. But his ego won't allow him to back away in silence. If he falls one more rung on the social ladder, he won't have any reason to go down one more in his sense of self-worth.

"Fuck off. Of course you people are always so full of yourselves and never pay a goddamn penny!" he says loudly enough to save face in front of the onlookers, but with enough sense to get back into his truck and continue driving directly to work without looking back.

He spends the day thinking about the scratch. He has to get home and tell his wife the story, drink some whiskey, relax in front of whatever's on cable, and relive the fury the next day, when he'll see that the scratch (like the country) is still there.

Driving home he's already preparing the story for his wife when, upon opening the door, he sees on her face, while she watches the TV in the kitchen, that something more important than a scratched truck is taking place.

"What's up," he says.

She also loves her son, and the poet has already said it, "He who has one child, has every child." Or something like that.

"The kids they kidnapped. Do you remember? They found them dead. All three of them."

Alberto feels all the anger he was holding onto from the scratch leave his body, and that all the questions he asked that morning were pointless. He feels what anyone feels in the face of death: that everything else bows your head, out of fear and respect, in the face of mystery and the irreparable, of the pain of men like him, who love their children. He fully understands, without having read it, what La Rochefoucauld wrote in his book *Maximes*: "You should look neither death nor the sun in the eyes." He understands that his anger and his early-morning recklessness fell into the category of dangerous arrogance, and that his wife and his son celebrate every night that he passes through that door unharmed.

"Like that businessman. They'd stopped him at a police checkpoint," says his wife, as if talking to herself.

"And Pedro?" he asks suddenly.

"In his room," she says, without taking her eyes off the TV.

Mornings are good for thinking. It would be the next day that, driving to work in his scratched truck, Alberto would ask himself if he's getting too comfortable thinking that he, in spite of everything, has lucked out in his ration of daily violence, guns, decomposition, and uniforms, or if he's finally learning to live with the conditions surrounding him.

You'll Never Believe What Just Happened

Ignacio and Gilberto were having a hard time. Exhaustion is what they call the point where all convergences of time wind up turning into divergences.

That Thursday evening they made plans to have a few drinks at the San Ignacio. It had only been an hour, but it felt like a long day passing through a wire fence of veiled reproaches and bland comments, so they asked for the check and decided to go home.

The relationship was in intensive care. It didn't seem possible that it would live a minute more if they disconnected it, but neither of them dared to invoke the truce of the necessary distance. The one who tried would give the other the pretext (logic of war) to interpret it as an act of aggression that merited a response.

But, sooner or later, someone would have to do it.

Ignacio should have used the bathroom at the place where they were bored out of their minds, but he didn't go and wasn't going to return. Plus, with as jealous as Gilberto had become, he'd surely dream up some "other" that was waiting for him at a nearby table with a card bearing his details. But he wasn't going to make it all the way home without emptying his bladder, which was why, when he saw the bathroom at the entrance to the parking lot, he said, "Go pay. I'm gonna run to the bathroom."

"Why didn't you go at the bar?"

"Go pay, for fuck's sake, I'm going to the bathroom, not Saint Tropez."

"You can go to hell for all I care," escaped from Gilberto's sour smile.

He went into the bathroom. They'd just cleaned it. A tall man in his fifties brushed his hair in the long mirror that stretched across the wall above the sinks. Everything was quiet. Ignacio walked directly to one of the urinals at the end.

A man wearing a hat and holding a baggie came through the

door on one of the stalls and looked briefly but directly at him in the mirror. Ignacio felt a little uneasy that such a look could be directed towards him, but he realized the guy was looking at the man brushing his hair, not that this abated his disgust at all. He was afraid the guy was going to attack the older man right in front of him.

But suddenly, something in the look as their eyes met told him that, not only did they know each other, but they communicated something imperceptible. Meaning, they weren't strangers. What's more, he swore that the guy brushing his hair apathetically used his lips like a quick and tiny arrow that pointed toward the stall behind him, next to the one that had been occupied by the guy who had just come out. He also swore that the other glanced toward that door and that had been pointed out with the quick and tiny movement of lips and nodded, with a gesture similarly quick and tiny.

But all of it lasted four, five seconds, because he immediately told himself that he couldn't live his life like that. That if he didn't learn to live in Caracas, he'd have to resign himself to dying of paranoia. *See? The one in the mirror is going. That's it. And that was it*, he repeated to himself, while he stood in front of the urinal and lowered his fly. He urinated looking in the mirror to watch the man as he left, so as to finish convincing himself.

Gilberto thought the relationship was collapsing in his sinuses and concluded that it didn't cost anything to make a little effort. He admitted that he was very possessive, so he changed his mind and decided to wait for him at the entrance to the bathroom. Maybe he'd take him out to eat before heading home. Or suggest going to a movie.

When he was a few steps from the bathroom, he saw a tall man exit who, before closing the door behind him, stuck his hand into the crack that was left and, in a quick movement, turned off the light before slamming the door.

"It's closed," he said, standing in the middle of the doorway with his arms crossed.

Gilberto felt suddenly confused. It seemed strange that the

guy would close the door like that. Also, he didn't look like he worked there, or like he was security, or one of the cleaning staff. If anything, maybe administrative staff. Some public functionary that was closing it down? In any case, he wasn't wholly certain this was the same bathroom Ignacio had gone into, so he excused himself, and, dubious, he went a few steps away looking for the other bathroom, at the end of the hall, before walking toward it.

The scene was framed in one panoramic shot. In the mirror Ignacio saw how the man with the hat took something out of the bag he was carrying, crouched down quickly, and put that something in his hand under the door of the stall that stayed occupied. He wasn't sure what he was seeing because it all happened a tenth of a second before the tall man, who had already opened the door and was standing outside, quickly stuck his arm back in to slap the switch before slamming the door behind him.

Ignacio felt cold and heard a loud pounding in his temples. His mind tried to understand what was happening, but he wasn't able to produce a single intelligible thought. The crouching body's trajectory stopped drawing itself in his mind, because the bathroom had been plunged into the most absolute darkness and he could barely perceive the energy of the body's movement. While he battled with his panic and sharpened his sight toward the place where the crouching man should be, intuiting that that was where the danger he should be afraid of was, he heard two, three rumbling, metallic, short, dry sounds so close that they took their time leaving his ears, while he saw how part of the silhouette of the man lit up with the flashes that accompanied the detonations.

They wouldn't have stopped so suddenly if it hadn't been for the long scream that suddenly ate all other sounds. He understood that the sound emanated from his throat. When he thought they were going to kill him, when he started to ask himself what a bullet wound would feel like, a beam of light started to open from the place where, in his disoriented state, he thought the door was, and saw the same arm, but now in shadow, slap at the light switch again to turn it on long enough for the man with the hat to get to the door with rapid movements. Before they turned the light back off, Ignacio thought he saw a thick puddle that crept from below the closed door of the stall from which smoke was escaping.

The strong smell of gunpowder choked the air.

Gilberto hadn't taken five steps toward the other bathroom that was about a hundred meters away, when he heard the explosions and the scream. He hid behind one of the parking garage's columns and turned to look toward the closed bathroom, surprised to see that the old man that had stayed at the door looking around in all directions, opened it again and, sticking his arm inside, turned the light back on. Suddenly another man came out and, after turning the light back off and shutting the door, they disappeared walking quickly in different directions toward the street.

Ignacio tried to button his pants, but the buttonhole became elusive. As well as he could, grabbing his pants with one hand while fumbling for the sinks with the other, he got to the light switch. It seemed like a simple thing to do, but it was a superhuman feat to coordinate his legs, which had turned to gelatin. He was also afraid of stepping in the puddle, since he wasn't sure how much it had grown. He wanted to find the doorknob rather than the light switch. He didn't want to see anything that the light might reveal to him in that bathroom. He just wanted to get out of there. Turning the handle and seeing the light, he was surprised to see Gilberto walking, pale, towards him. For an instant he didn't remember they had been together that evening. He felt as if he'd just been freed from a long captivity, but not even two minutes had passed since he'd entered the bathroom.

"You'll never believe what just happened," he said to Gilberto.
Gilberto just hugged him. "Tell me on the way," he said. "Let's go home."

Evening on the Metro with a Social Forum as a Backdrop

Two tall guys, shaggy hair, wearing sandals, board the Metro ("Christ came, and he brought a friend," said a man through his teeth). The car is packed. Three typical girls, perfumed, wearing uniforms from some academy of bank trainees, look at them and whisper. They talk about a *stench*. Some glance at them gravely, looking for something. Someone tries to externalize a "Jesus, this heat." Another lets out the ancient formula, "Lemon and baking soda, for fuck's sake." The girls second the comments with their giggles and look at the shaggy guys, referring to them as *gringos*. Someone with a more refined ear corrects them: "They're French. Or Belgian."

"It's the same dead bear," one of the girls says, wrinkling her nose, fanning herself with a folder, and they burst into conspiratorial laughter.

"One? Bitch, that's at least two," the other says, pinching her nose with two fingers on one hand and extending her middle and index finger on the other.

"*De pana, marica*. Even if they killed them in China or France, hahaha," affirms the one who hadn't yet spoken, raising a shameless little laugh.

The two guys, silent, look around very seriously. A certain disdain accompanies their look. They're so tall they can't look anywhere but down. The disdain seems to be a defense against the looks and the girls' laughter. Intuition tells them they're the joke. *We came to save you from capitalism and you don't even say thank you. You cover your noses. Pretentious savages.* That last part they wouldn't have thought because it would escape their lexicon (and their strict adherence to political correctness). But some sentence would translate that sentiment. *I come to bring my truth.* The one with the long goatee calculates the classic image of history's misunderstood figures. Ancient history. Che Guevara. Woodstock. Pot. "Lucy in the Sky with Diamonds." *Viva Cuba. Viva Vietnam.* Prohibition prohibited. Make love, not war...

Caracan women are tidy to the point of frivolity. Even after finishing a long day at work, they touch up their makeup and perfume before leaving the office to head home. And they always smell good. And whenever they show them off, they have their armpits and legs shaven. And they balance on unthinkable heels, dancing with enslaved cadence as if they hadn't just been through an exhausting day.

At another stop some southerners board. Bolivians, Brazilians, Chileans, Colombians. Confusing phenotypes. (The Great Homeland is a single mother.) The backpacks that declare, "A different world is possible" and their attire, as well as the cards that hang on them as if they were kindergarteners, betray them wherever they go. They show the cards at the entrance to the Metro and pass by without paying, with the air of superiority of one who shows his ID that gives him access to a nuclear plant.

A tough black woman carrying her sixty long years like a burden, comments, looking for allies: "And these people don't have to pay? Must be nice!"

At Bellas Artes the biggest crowd tends to board. The looks are a challenge to originality. From turbans to tribal arrows. For Caracans, natural snobs, it's a novelty. Has it already been said that Caracans go to work as if they're the managers and not the receptionists? Well, a very young blonde girl dressed like a gypsy boards with a group of five "activists." Her Germanic face is beautiful in its frailty, as if it were carved from ice. The harshness of her expression indicates that, in spite of her age, she's already participated in various battles against the G-8. She's been gassed and dragged by her ankles. Her picket sign says "camping." The whiteness of her pretty feet makes the clay that is mixed between her toes stand out scandalously. She doesn't seem to mind. *My God! Not even the Caracans that live in the* cerruchos[5] *would go out looking that filthy*, thinks a guy who looks disconcertedly at her

---

[5] A word derived from cerro, meaning mountain. A pejorative term that refers to the neighborhoods with the most intricate entrances, usually located at the highest point of, well, the "cerros." The cerruchos are laden with urban legends for everyone that doesn't know them. They're myths observed from the distance in their apparent aspect of innocent manger. One of the most proliferated urban legends is one that many people claim to have experienced. According to the legend: someone invites a bunch of

feet. The contrast is brutal. "What a shame," he says before getting off, moving his head in a gesture of honest affliction.

On the platform, the people who don't have signs hanging around their necks are in another world. In this one. That is to say, their modest reign is of this world. The day-to-day world. Will the game be fixed, how many games will it take before Caracas wins, because I'm broke as hell, and I don't get paid until Weeeeeednesday! "And your wife's boyfriend?" his companion says, in typical Caracan slang. And they laugh at their tragedy. Even when they're smashed into the car and the people boarding crush them, they laugh.

The tourists study them in amazement. What are they laughing at? Revolutions are serious business. Surely they're a little disappointed by the absence of antiaircraft nests and alphabetized squadrons in the streets. Plus, how would you form ranks for battle with such raucous people?

Who knows what they thought of what they saw, of this savage, dirty city, with its bright colors, and pleasant weather. Of its girls, tidy to the point of frivolity. Of its people, more consumerist and snobby than most. The fact that a messenger has a Blackberry should give you an idea of the issue...

They must have left a little disenchanted that the city hosting their meeting (a guinea pig of savages of the latest hope of the most radical left), feels so indifferent before those foreign abstractions at the party, earning its living, the raging Herculean task of getting home alive, every night, in this mind-bending city.

---

coworkers to his house on a Friday evening. They go in the car. After driving up many hills, the host parks the car near a field surrounded by alleys and infinite unequal stairs. He takes three guns from the glove box and, giving them to each of his guests, says, "Okay. From here on out, I don't know you. See you up there."

Traversing the Labyrinth

for Lennis and Ariadna

Por eso cuídate de las esquinas,
no te distraigas cuando caminas,
que pa´cuidarte yo sólo tengo esta vida mía
Yordano

In Caracas it's strange to see motorcycles with license plates. Even rarer if the driver is accompanied by an indeterminate air of "you'd better watch it." In those cases the plate is carried in a purse, ready to stick it in the face of the first genius who, believing in The Bible or in the Constitution, makes a wrongful observation.

And that air of "you'd better watch it" has its degrees: from the simple threat to that superlative action embodied by the looks on the guys' faces who have never gotten a joke, tearing around on gorgeous high-powered BMWs without hesitation or scruples, running about to take care of what are euphemistically known as "matters of national security." Upon seeing them tear through the city on their silent Max Steel motorcycles, kids' salivary glands activate and the elderly people's hair stands up on end.

Like someone who sees Death pass his front door.

Unaware of the ancient pact of the stoplight (if a biker is reading this: green means go, red means stop), moto-taxis, messengers, delivery guys, collection agents, thieves, and police pass between cars, pedestrians, and mountains of garbage in oncoming lanes, the smallest gaps between stopped vehicles and the sidewalk, or on the sidewalk itself, as if the fate of the planet hinged on them never stopping even once.

In the world of the labyrinth they represent the danger you

don't see coming, the sibylline Evil. Buses are Giants, cars are Hedges, and the trucks are Monsters, according to what Andrea explained to her mom one day.

"And the motorcycles?"

"Snakes," replied the girl, very seriously.

And that's how, from a little more than a meter high, she saw the avenue that she crossed every morning with her mother for the last six years. Reaching the other side was an adventure full of risks, surprises, roars, and escapes, like any adventure that can be considered as such. She still uses it. The nomenclature, of course, because with the avenue there's no alternative. "Careful, here comes a snake," she warns. "We'll cross after the hedge," she says.

There are snakes on snakes. Uniformed or plain-clothed, the police go by on their bikes thinking about their business. *I should stop by at the Portuguese's place,* one thinks rolling between peddlers and passengers who jump from buses without warning. *I'm gonna get serious with him because last week his check bounced,* he decides. *Then I'll go to the cell phone shop to pick up the deposit. After the bank, I'll head home*[6] Engrossed and weary from the heat and the smoke, they're incapable of seeing the thousands of tiny faults they commit for their own gain, which turn Caracas into a mess of noise, violence, mistrust, and bad faith. Faults that, drop by drop, feed that tsunami that will come crashing down on our valley at any minute, installing order upon this ancient injustice that perhaps had a solution when its noble limits were the Catuche River ravine, the Guaire River, Ávila National Park, and Roca Tarpeya.

Mariela is 35 years old. She has a daughter of twelve and a little less than that amount of time as a divorcee. Her daughter's intelligence is her greatest source of pride. The chapter entitled "Married," her worst disappointment. Every day, for the last six years, a routine fastens her to her life like money to the powerful:

---

[6] The most modest ones. The really ambitious ones get involved in serious business, like kidnapping people and holding them hostage at the police station.

She gets up, showers, wakes Andrea, prepares breakfast, they get dressed, and head out to challenge life on the battlegrounds that are the streets.

The first milestone is to reach the other side of the street. Easy? The crosswalk is 200 meters away. The stoplight, a little further on. And the Labyrinth, laden with Snakes. What were the planners in charge thinking her life should be like at 6:35 a.m.? A daily Russian roulette? The statistics are chilling. Which causes stress. And from there the cosmogony of the labyrinth. Which is why they feel triumphant with the simple action of placing their feet on the other sidewalk. Triumphant and exhausted.

But she doesn't complain. She knows she could live in Guarenas. Or in Cartanal. Or in San Antonio de Los Altos. Or even in Maracay, like one of her coworkers. Only twelve stops on the Metro and she takes her daughter to school, and with six more, she's at her office eating breakfast. She knows how lucky she is. Complaining would be discourteous to those who have already been up for hours when she's just opening her eyes to a new day.

Going through the school calendar like an explorer through hostile territory, Mariela and Andrea cross the labyrinth every day to get to the other side. Every day, feeling like veterans of a war whose casualties are in the thousands each year. Thousands of annual miracles throughout six years.

And so, Andrea graduates from sixth grade.

That Sunday morning she corroborates that anxiety is the best alarm clock. She showers, gets dressed, puts on perfume, and even decides to brush her own hair in the mirror. She puts the tips of her ears under her hair (what can you do? Girls and their complexes) before firmly tightening the ponytail she made. *After this, vacation,* she thinks. *And then, something exciting and far-off they call middle school.*

That morning they wouldn't take the Metro. No sooner do they stop before the labyrinth than a taxi honks from the other side, waiting for them. Andrea makes sure the street is clear and steps off the curb.

She doesn't have time to understand that on that splendid morning, her personal tsunami would come crashing down. A daze precedes the shock and then the pain. She flies a few seconds before landing spectacularly, the wind knocked out of her, a few meters down the road. Her immaculate white blouse is stained with the blood coming from her mouth. Her hands aren't able to contain all that color. She regains her sense of smell along with her hearing, and hears her own cries along with Mariela's screams. She wonders if she's still dreaming.

(If she is, she'd better wake up, because this is her graduation day.)

The Snake rolls a few meters before falling noisily, throwing its driver, who only just has time to glance at the scene he's created a few meters back. A girl of twelve pulls herself together, crying, surprised, with her blouse and face full of blood. A young woman helps her while she picks something small that must have been valuable off the ground. The Snake, with his aloof attitude of "you'd better watch it," picks up his pieces and, kicking the lever that turns over the motor two or three times, takes flight becoming a gargoyle getting lost among the corners of the labyrinth.

The cab driver, an old, strong man in his sixties wearing a guayabera and a hat, gets out of the car and quickly crosses the street, thinking which would be the closest hospital. Less stunned and more surprised, Andrea feels the shouts of every one of her bones. The driver carries her while telling Mariela that in ten minutes they'll be at the hospital. Andrea has never crossed the labyrinth from the air. The driver doesn't charge them anything.

Days later, from her room in the hospital, Andrea incorporates Heroes into her personal cosmogony.

To Make God Laugh

Caracas' preferred modes are "infernal" and "nightmarish." By day it torments and by night it terrifies. He who complains of the honking, of the cars in crosswalks, and buses picking up passengers wherever they feel like, would be better off staying inside as the hands of the clock approach 10 p.m.

Whosoever is sick of hell would be better off unaware of the nightmare.

Pay attention, prick up your ears, sharpen your sight. Smell it in the air. Do you feel it? It's always there. In this valley that, seen from a sufficient distance, cruelly deceives us with its beauty, Death is one of the few full-time services on offer.

From afar, generally fresh and covered in exciting greens and blues. Close up, from inside, from the sticky stain on the sidewalk and the darkness of the burned out streetlight, it's decorated with histories, that will tattoo an indelible certainty on the soul of the uninitiated: it's better not to stand out.

There, when you put your trust in something, the landlord of these estates appears, feverish and industrious with his 24-hour shifts, including holidays.

Who, aside from Death, would be working on the 25th of December, close to two in the morning? The solitary driver of a grey Aveo, coming down through the Madhouse streets, was sure that the workers at the service station PDV Sucre would be. At least that was what its huge luminous sign assured him, flashing the words "24 hours." Remembering that, in the morning, after celebrating with his children and his wife, and after stopping to say hello to some friends that lived near his house, on Termópilas Street in La Pastora, he went down to Sucre Avenue to change the front left tire, which had a slow leak. He wanted the car to be in perfect shape because he planned to take the family to the beach in the morning.

They say that if you want to make God laugh, you should tell him your plans.

The neighbors around the service station heard five detonations from an automatic weapon. Those who hear them routinely know the difference between them and, for example, firecrackers. A sound (better yet, two at a time, barely distinguishable) metallic and dry, like something fracturing in the air. A sound that when heard from close-up, activates alarms. The cell phones of the kids who were in the streets started to chirp. "What? Yeah, I heard it, but it wasn't here. Yeah, I'm good. Don't worry." That was more or less the sequence in which they shrugged off their mothers.

Immediately after the shots, a pair of bikers with their respective passengers turned hastily at the corner of the service station and took off toward the asylum.

And the night swallowed them.

Three hypotheses (in the absence of witnesses) slice through the linearity of the story: a) They were out looking for him and they found him; b) they were going to rob him and the alcohol made him think he was invincible; or c) they were going to take his car, but upon realizing he had a bad tire, they took out their frustration on their victim[7].

The people who appeared at the windows after the shots had died down, saw an Aveo at the tire shop with the driver's door open and the flashers on. Next to the car, the body of a young brown man, heavy build, lying face down, while a thick, dark lake emanated from his body.

On his trip the few blocks from his house to the station no one saw him, arriving punctually for his appointment, while he drove through streets packed with houses with festive windows, open doors, and children playing in the alleys.

Maybe he was already outside of time and didn't know it.

Vultures are cowardly animals. They pick out their prey by

---

[7] A fourth hypothesis suggests that, in the middle of the darkness, he didn't notice the four thugs trying to force their way into the office of the tire shop as he got out of the car. Thinking they'd been caught, they took him down and fled.

the absence of movement. Once detected, they close the circles of their flight, little by little, until certainty tells them they can land. They situate themselves at a prudent distance and approach with a great caution, until they pick at the cadaver that has been abandoned by some already satisfied predator. Could it be because of such ignoble origins that there isn't a sports team called the Vultures from Anywhere?

The three vultures that appeared at the scene behaved the same way. They took turns approaching the agonized man and returned to confer at the place where they gathered. Each time more frequently, each time closer, until one of them got right next to the still-warm body. Finally convinced there was no danger, after a quick look around, he moved the wallet from the dying man's pocket to his own. Later, he took a quick look at the car's interior and, seeing nothing of value immediately visible, he left in undecided flight.

As it usually happens, the police arrived after the neighbors called a thousand times. They carried the cadaver with impotent diligence and took the body to some hospital (maybe two or three) before leaving it at the one in Los Magallanes, where the solemn diagnosis would be the usual one: dead on arrival.

Sabina laments, in a line from "Eclipse of the Sea" that, "the newspaper didn't mention you." It never will, because it'll never say the things that most intimately concern us. They won't even deign to report the details of our crime scenes with the precision they deserve. Maybe it has to do with haste and distance. The 27th of December, two days after one family's nightmare on such a memorable date, after staying up all night, being anguished and building themselves back up, hoping and falling apart before the premonitions, of thinking in the present tense about someone who had become the past tense at the feet of the vultures who had made off with the only thing that would have made it easy to identify the body, a newspaper reported, with the horrible writing of a security guard working the night shift on the 26th of December, that it was assumed that "they killed him to rob him, but the only thing they took was his wallet. The other belongings including a Blackberry, $250 in cash, and the car were left behind."

Putting all the stuff for the beach back in its place, the widow will plan to move out of the neighborhood. She won't be able to bear the idea of walking through those streets without knowing if she'll run into her husband's killer on a daily basis. Her brother-in-law, feeding a rage that won't let him cry, will plan every detail of what he'll do to the murderers when he finds them. Various sacks of cement were left piled up in the house's yard. The deceased planned to build an addition, to make a bigger room for the kids on the second floor.

Unconnected to men's plans, Death will continue doing his tireless job. Those plans will keep being sent to the ears of God (his partner).

And it will be so hard for him to contain his laughter.

The Apartment in Altavista

The woman tells the story as if it had happened fewer than forty minutes ago. But it happened more than forty years ago. She tells it and she becomes as beautiful as she was when she was twenty. "Although I think I remember that we still hadn't quite turned twenty," she says, with a coy smile. They got an apartment in Altavista as soon as they were married. "This was in 1963. At that time you could live comfortably in that area," she remembers. "We even took little walks around the edges of the neighborhood in the evenings." She speaks of the cars, the stores, and the neighbors that saw the withering of innocence itself in them as they passed.

The apartment was so beautiful, although in truth the only beautiful thing was how in love they were, and that in the mornings the sun flooded in preceded by the songs of the swallows, excited by the rain. That is to say, it was perfect. They only had a boom box that her mother-in-law had given them, and the kitchen.

One day, resolved to equip the house with future children (he said he wanted four and she thought two would be enough) they went to La Liberal and set their minds on a dining room set and a payment plan. They did everything because they were provoked. They made the first payment and took it to the apartment whose only special thing now, was that they were in love.

"Do you think I remember if we made the payments or not? The only thing I remember is that we laughed about everything and one day, just as we were about to sit down to lunch, the truck from La Liberal appeared and they took our furniture. So what did we do? We laughed and from that day forward, we ate in bed."

Maybe it's because beautiful memories have a pallet of sixty-four thousand colors that she was the only one that didn't oppose her granddaughter's wedding. And less so because of that vulgar argument that they "aren't economically stable."

Wisdom, that's what they call that capacity to remember the good and the bad, and always find a way to come out ahead.

A Double-Edged Sword

Don't try to push your luck, just get out of my way
AC/DC

In one of many interviews that coincided with the premier of *Secuestro express*, Jonathan Jacubowicz said that one of the most impressive experiences during the filming of the movie, was having spent so much time driving around in a truck full of guns, through all of Caracas, without having been detected by any authorities.

"So you're saying, if you hadn't been filming a movie...?"

"Let's take a detour around this question. How many similar scenes are running around Caracas on a daily basis without any authority noticing any suspicious activity in them, where you don't even hear the director yelling that classic, 'Cut?'"

That's the point.

The problem with the violence in Caracas isn't the huge number of guns-in-the-hands-of-civilians (which is a problem in itself), but rather the huge number of guns-in-the-hands-of-civilians that aren't subject to control or any kind of detection.

And, ultimately, the problem of violence in Caracas is, yes, the former, underlining that we're talking about ourselves, of Caribbean blood, of too much heat and noise that serves to practice the habit of reflection. We're talking about a people poorly cultured in the art of living together with respect and a group that accumulates its hundreds of angers in the time between when they lift their heads from their pillows and put them back down again. We're talking about the birthplace of the expression, "I don't take shit from nobody."

In this context, the daily raffle that's called out in Caracas (whether you like games of chance or not) isn't the lottery in Táchira, nor the one in the east, nor the one in Zulia.

It's the Lostbullet Lottery.

And if that's the problem we deal with every day, what's the point looking for a bullet with immediate delivery, a bullet voluntarily personalized?

That's why, if any sense grazes the wisdom in this stunned city, it's not to sign up for both raffles at the same time: the lost bullet one and the one that's tailor-made. We're all signed up for the first one, whether we like it or not.

That is to say, it's a double-edged sword.

Tuesday. The clock approaches midnight. The service station is dark. The tire shop is open. The tire guy is drinking beers at the gas station with his assistant who's washing his microbus, as if they were in their yard at home. A thin guy walks by and decides he can't pass up this opportunity. He measures up the distance between the tire guy and the shop and the shop and the back wall. He says yes and decides to call a friend. In fewer than five minutes they're planning the incursion. Silently, scaling the wall, they're able to take two new tires out to the street behind. It was so easy that they become ambitious.

"As soon as we hide them, we'll come get more, dude."

"Sounds good," says the other.

A car drives by. At the wheel, a man in his fifties, fat, wearing a jacket. He stops. He doesn't look very elegant, but he asks pleasantly, from the window. "What's up guys? What's with the tires?"

One of the kids, quicker than the other, answers without lifting his gaze, "We bought them."

"You bought them?" asks the old man, affably. He pushes a button that opens the trunk and in a quick movement, he's outside. Now he's a well-dressed man who's carrying a huge gun with a long barrel. Black as an omen. With that hand he signals toward the back.

"It's open. Put them in there and get lost before I smoke your asses."

*

Wednesday. Close to five in the afternoon. A time when all the men's heads swivel like fans at all the girls who pass through that street returning from work. A guy walks with his girlfriend. She's thin and nervous. Two guys in their thirties or forties are standing on the corner. Wearing slacks and blazers (in another life they robbed banks, or so they say). "Well, what a little beauty!" says one of the two, and they keep talking. The girl becomes indignant. The boyfriend becomes indignant. They stop and their indignation manifests itself out loud. The boyfriend (the things a man will do for a woman) stammers but gives in. His naïve face provokes pity in them. Almost laughter. They apologize gallantly, saying that the comment wasn't meant to be vulgar. The boyfriend insists upon being offended. It's a volley that the two find cute, but they become bored before the first set is over. They start to vary the friendly tone in their voices. The stutterer feels like he's coming off well in front of his girlfriend. That he can push a bit more. As far as the spectators are concerned he's taking advantage, but he knows best...

It goes well, until he sees two portable war cannons slide out of their jackets. The respectable gentlemen now have the cold expression of killers.

Get lost or we'll fill you full of holes. We're busy watching these lovely ladies pass by.

*

Thursday. Ten in the morning. There's almost no parking, as always. The routine is to drive around the parking lot until you find a spot. Good thing gas is cheaper than water here. A spot opens up and a car stops two meters ahead and puts it in reverse to park. He's not in a hurry. A spoiled rich kid in a pickup approaches from behind. He saw the spot and felt he had a chance to put his Creole reflexes into action. He speeds up and sneaks in nose first. The gentleman, who is blind with rage, gets out ostensibly indignant.

"Jesus, didn't you see I was lining up to park?" he yells.

"No, I didn't," said the kid with contempt, removing his CD player.

"Goddamn. You're a real asshole, you know that?" he tells him through the window.

"That I am," the kid smiles and responds, rolling up the electric windows.

"You've got some fucking nerve," he hears him say and watches him disappear in the direction of his car.

Hearing one, two, three explosions and feeling the truck tremble and list to one side are actions in sequence. A pair of freezing pliers grip his throat to the rhythm of his heart. Through the windshield he sees that everyone is looking at him in astonishment. Through a whistle in his ear he hears the man before he sees him, (the thin man who would later appear immense, titanic) with a powerful black tube in his hand, from which smoke still emanates.

"Keep the spot, but get new tires, motherfucker."

He doesn't dare move. Not even after watching through his rearview mirror as the man gets in his car, slams the door, and takes off squealing his tires. People are still looking and he's embarrassed to get out and survey the damage.

His pants are wet.

*

Because of all of that, here's a tip (and this one is part of the deal, but the next one isn't free): calm your Caribbean. Contain your gestures. Measure your words. Respect others. Shhh, lower your voice, it's for your own good. Lose that ugly habit of gesticulating. Don't think you're any better than anyone else. Abandon the fantasy that you're badder than everyone else. Don't stare like that, long and making eye contact—machos don't reach old age.

Far, far too much testosterone to reach the pension line.

Hopefully they won't have to remind you, that here no one speaks twice: that's Caracas. Ninety-three percent of homicides go unpunished. Fifty deaths per weekend. Tens of thousands of guns, legal or not, passing through the city, invisible beneath shirts, seats, jackets; in fanny packs and backpacks. Happy triggers, pallid targets. Boxes of bullets? Ha! They trade those in an instant for a few grams of coke. And that market never stops.

Our story says it all: if we've produced anything in this country, it's useless, absent, furious assholes. "A minute of silence for the last furious asshole."

There's a long line.

Do you want to learn how to control your gestures, to be a calmer person, respectful of your fellow man? Spend two days here. Caracas is a free school whose principal's office is in Bello Monte.

And there's a line.

The Relaxed Chivalry of an Ancient Monarch

for Manchas

The abrupt squealing of a truck shattered the early morning silence. As if it had been suddenly liberated, a shriek covered every corner of that humid night, snapping the neighbors from their slumber.

This is one of those sounds no one can ignore. In that manifestation of pain people recognize their own animal condition.

An explosion of silhouettes outlined in yellow boxes started in the dark of the nearby building. One, two, various little figures per box, trying to locate the origin of the screech. A solitary figure stands out in the avenue: a stunned white dog with brown spots trying to drag itself to the sidewalk without its back half helping at all.

It would be ideal to continue this story with a scene in which a neighbor descends to help it, if not to treat its severe trauma and fractures, at least its loneliness. Tell about how he offers first aid and a blanket. But the truth is that people get home and dig themselves in. Normal people are afraid and are suspicious because they have enough to worry about with their daily rounds.

It's understood that, after all, this is Caracas and not a movie set.

After a few minutes the windows started to blend back into the moon grey of the building. No matter where you were standing, the diagnosis was the same. The damage was done, irreversible. "The only thing that will silence that dog is death," came the sentence before the judges returned to their beds. To hope, mercifully, that it would be brief. To try to scrape together the remains of their interrupted sleep.

The next morning, to the neighbors' surprise, the puppy

was still alive. Technically alive. Although, evaluated in place, the damages seemed to be just as severe as they had suspected from their windows. Or maybe worse. Regardless, as it stood, both the dog and the subject of the dog would have a difficult morning. While everyone gathered there, it watched them pass from shock to resignation while prostrate on the corner where it had been able to drag itself (still soaked with rain).

And, against all odds, night approached, apathetic, wrapped up in its silence. Surprised by its strength, before they finished their day and went home, the guys from the carwash took pity on it and left two dishes near its snout: one with rice and ground beef, and another with water.

It was one of those cold February nights. It rained uniformly and stubbornly until daybreak. Half the dog's body lay exposed to the rain in spite of the boxes that covered it. And it didn't even waste energy to remedy that.

When the sun was finally able to push its first rays through the thick leaded cap of clouds, the dog was still there, wet and bewildered. Barely giving imperceptible movements to administer the tiny slice of life that it was still able to cling onto.

It rained cold and hard through the next three nights. The streets were deserted before nine. At ten, in the nearby apartments, people got ready for bed, they had sex ravenously, watched television, fought, threatened each other with undying love or irreconcilable divorce, and even talked to the loneliness of their walls. Everyone sheltered from this freezing rain.

From time to time some compassionate soul appeared at the window and, after watching the dog for a while, shook his head with dreary resignation. And tried to forget it.

And the sun kept coming up and it kept raining and life insisted upon clinging to that body. By now few pedestrians noticed it. Those that did, those that met its eyes, were struck with the most penetrating definition of the word "loneliness." A young wife, overwhelmed by her maternal instinct, couldn't stand the scene of that silent fight against death and told her husband to find a vet to put it to sleep.

"Say that and imagine you're standing in front of a vet to see if it sounds reasonable," was his reply. "Can't you see it's already 'sleeping?'"

But life is full of buts that are always making you want to read the next chapter. In that next chapter the dog surprised the neighbors one day by dragging itself to protect itself from the sun and rain. Another day it stood up. Slowly, surprisingly it limped and took little steps. And just as the neighbors were sure that the wonder was complete and they resigned themselves to the idea that this comical wobbly gimp would be another permanent fixture in the neighborhood, little by little it started to move its hind legs.

They call this desire of not wanting to drag oneself around "dignity."

Presently he joined the gangs of stray dogs in their malevolent strolls down the street and even participated in the skirmishes to satisfy the circle of life. How clever is the god that assures there's a greater presence of males in the feral packs so as to guarantee a legacy of champions.

And he grew to be strong. And turned into a consummate street fighter. And one day, as if he'd seen everything that the streets could offer, he started to feel apathetic about accompanying the pack that roamed the area. Tedium, good sense, and maturity caught up with him—that, or whatever it was that made him into a sedentary homebody.

And he seemed happy with his decision.

We reach the cardinal crossroads of our lives without even noticing them. Few neighbors remember that morning when the dog woke them with its screams of pain. And even though the resemblance is unmistakable, fewer still associate this dog with the puppy that shocked everyone when it didn't die.

Maybe that night it practiced in the street. Maybe an unexpected movement dragged it from the home where it had always lived. Maybe someone decided to twist its destiny.

What's certain is that that other life before that accident must run through its thoughts like a confusing dream, like an unusual exercise of imagination.

They consider the dog to be another member of the community. It's like a collective responsibility that the woman at the stationary store, the mechanic next door, and the kids from the carwash carry out together. Presuming that it already had one, no one thought to give it a name. Their communication with it consisted of three voices: "Hey!" when the heat surpassed his desire to keep the junkies in line; "Come!" when it was time to eat; and "Out!" at closing time. Those three unalterable words, repeated day after day, renew and solidify the affective contract. They correspond to saying: just like today, yesterday, and the day before, tomorrow we'll be here too.

Years ago it found its home on that stretch of sidewalk. Anyone who stops to look, sees something majestic and profound in that gaze. They see the panorama of a life that, on this side of the road, expresses a complex human sentiment. It's something poignant that, if it had to be named, would be "wisdom." The wisdom of finally having understood something. Something that gives its countenance the relaxed chivalry of an ancient monarch.

Anyone who once recognized his own animal condition in that shriek, shivers at recognizing their own human nature in those eyes.

DON'T YOU LIKE *REGGAETÓN*?

In Cherubini's operas there is a revolutionary breeze rarely reached in
this political debate. Joplin, Dylan, or Hendrix say more about the liberating
dream of the '60s than any theory of the crisis.

Jacques Attali

The far-west side of the city. Some guys the color of the
sidewalk sift around desperately among bags of garbage. Every
open bag bleeds a liquid between yellow and brown, viscous,
that pools in a sticky puddle. The dogs wait for the grey monsters
with rats' eyes to abandon the treasure so they can take a look
for themselves. Or a smell. When they find something edible,
they swallow it immediately. Unlike the dogs, they help each
other with the mangoes. According to Paul Auster, in New York,
M.S. Fogg gave them picturesque and cruel names: cylindrical
restaurants, luck dinners, municipal assistance packages... But
that's in New York. Here the garbage just piles up in the streets
and whoever wants to tempt fate can grab it by the handful.
Who says there's a scarcity?

Some girls of thirteen or fourteen walk down the streets and
they stop at the corners. They're fat. The malnutrition is ravaging
their archetypical Venezuelan forms. They wear miniskirts and
their immature brown bellies stick out from their training bras.
In the areas around *the bomba*[8] there are various groups. They
arrive at about six, after getting off work, and started getting
together. Now it's ten and they're still there, although the store
is now closed. Early, which is odd. It seems the cops wanted to
increase their tax and weren't able to reach an agreement with
the owners. So they laid down the law.

Some women, who certainly work in offices in the East,

---

[8] That is, perhaps, one of the strangest Venezuelisms of all. "Bomba" is a service station
or simply a gas station. Salvador Fleján exposes it perfectly in his story "Ovnibus" when
a Venezuelan, driving down a highway in Florida with some locals asks, "How long 'til
the bomba?" Eddy is surprised. "Bomba" sounded more like turbans and machine guns
than the vernacular mix of gas and water, ham sandwiches and stuffed animals.

with the latest gadgets in their hands, are sitting on the low walls surrounding the gas station with its darkened windows. The food on offer around them is varied: skewers, hot dogs, grilled items, Chinese rice and egg rolls. The dinner guests are thankful and generous. A couple eats their food off the seat of their motorcycle, sitting on a small bench. As far as they're concerned they could be in any exquisite restaurant in the East and the ambiance would be the same. From time to time an argument explodes and, aside from a quick glance and being alert at the moment of lowering their heads, no one seems to be especially upset by it. In a half hour two drunks will fight with bottles, in an hour a fight will break out between two guys who play the ponies, in an hour and a half some dominoes will settle the ownership of an iron as you do when arguments fail, in two hours they'll punch each other in the throat over different political beliefs.

On the other side of the city, from that point on, the nightclubs start to fill up. The girls are all identical: idiotic laughter, fake tits, the standard format for the models in the hottest videos, tramp stamps, g-strings that are visible when they bend down, pants that inexplicably stay up, the same tops showing off the same pierced bellybuttons. The same hair dye, the same makeup, the same outlandish fake nails, and the same thin eyebrows. It's the *perreo* look. Tacky. Or a tease.

Some guys with awful diction problems and a deficient vocabulary spit threats through their car speakers about what they plan to do to their occasional partners in bed. Judging by the nature of the threats, without Viagra it seems unlikely they're doing much more than boasting. Unlikely they will succeed.

Guys without cars get no women. A credit card that can't take a beating is bad company. Here everything sounds as real as the scandalous firmness of those dancing breasts. In this bland environment all threats sound effeminate. The guys that try to pull off the swagger of harder dudes wind up sounding like a commercial for Fortuna.

Let's go back to the far west side. In spite of the hour and the fact that the liquor stores are all closed, one guy decides to walk down the street to see about buying some beer.

"Can I go with you?" his eleven-year-old son asks while listening to reggaetón through his headphones.

He does a mental run through the streets that he's become tired of trudging through. He's about to say no. But then a pedagogic sentiment prevails.

"Come on then," he says. "But it's late and you've got to pay attention."

They go out on the adventure of walking dangerous streets, like two explorers. They walk among mountains of garbage and monsters with vultures' stomachs. Among thieves on bikes and thieving cops. Among bottle wars and shakedowns. Among fat little faces showing off their bellybuttons. The kid walks hurriedly, silently, terrified. His father notices.

"What's up?" he asks.

"Nothing," says his son, but his face has been speaking for him for a while.

"Don't you like *reggaetón*? Aren't you a badass?"

The boy tries to smile, while they walk, avoiding the violence that swarms around them like flies around garbage cans.

It's three, four in the morning. The guys who think they're tough, the girls who think they're hot shit, are leaving the clubs. They left their fantasy of *perreo* and the contents of their purses behind. They also left their toughness. In the streets, haggard and drunk, they look pathetic. Hopelessly pathetic, without any embellishment. The outfits couldn't last for so much as a picture at this point. Like fries from McDonald's, they deflate, they wither in a matter of hours. Shortly the horns will turn off and go to sleep until the following night. Meanwhile, the real *reggaetón*, that bleeds and starves and dreams of cheap substances that intoxicate the organism, left its mess of gunpowder, blood, and insanity on the other side...

When the boy explorer returns safely to his house, he'll never listen to that popular cheap and monotonous music with the same innocence as before. He'll hear his father's voice asking him, "Don't you like *reggaetón?*"

"That old man is brutal!" he'll comment, smiling, while robberies, garbage, rocks, and broken bottles escape from his headphones. That's to say, what it really is and not just what it wants to appear to be.

LIKE AN ALEPH OF NIGHTMARES

Yo siempre viví en la boca del diablo:
naciendo, muriendo y resucitando
Fito Páez

No one chooses the life that befalls him. No one chooses his circumstances nor his moment in this continuous movie. For example, traversing the city every day in exchange for a meager salary isn't a choice. Because she didn't have time to stop and think too much about it, Adelaida had been doing it for the last thirty-seven years of her life.

It wasn't like it had been an unwarranted stupidity. It's just that when the specialists told her that Juan Ernesto reached his mental capacity at seven years old, she understood that they'd really said, "Forget about generational development," and therefore decided not to think about it anymore.

That was long enough ago for her to have become accustomed to it.

Which, if you think about it, becoming accustomed to something is another form of choice.

Her day starts at five a.m. On her walk to the station the residents of the sidewalk sleep like garbage bags. In groups, on newspapers, on concrete benches, on public buildings' service stairs, in hidden corners, they form a silent chaos that resembles the truce of some virulent combat.

But with grime where there should be blood.

They can be seen everywhere. They sleep in vacant lots. They're covered, enormous like a circus tent, by the boring political speeches that the media seized upon and by the heated discussions on street corners. By thoughts.

Under the tent, interred more than hidden, Caracas pulses. And underneath is where you'll find the city unseen by those boring speeches: the community of homeless children from

Los Dos Caminos, for example. Or the area where *piedreritas* (crackheads so skinny it's chilling, so dirty it's a shame) spend the night between Santa Rosa and Quebrada Honda. Or whichever refugees of radioactive victims the savage streets of Caracas become as soon as it strikes midnight, the supports of the elevated train, the areas around some of the Metro stops...

Adelaida is toasted and dry. Boney. Her age slips down her lean form. She always knew she was ugly. Well, not always. That "not always" didn't last long, and that short time now lives on a plane that has the texture of dreams. She takes the Metro with her son. She takes him to the doctor. After almost thirty years in that routine, the only generational development she's known is that of the doctors that have treated him.

Juan Ernesto observes everything with genuine curiosity. He has a teenager's moustache and, although he's going bald, the timbre of his voice is like an adolescent flute. His appearance is a cocktail of things that stalled and others in decline. They talk and play and his reactions fit with the age that the specialists attribute to his mind.

She, it goes without saying, is in love. She's a fortunate slave who has to dress him (the pants pulled up over his waist give that away), but she has more than a lot of women she knows: a little man that will never be with another woman. She is, as has been said, a mother in love.

And he, a happy old boy.

She talks to a woman and he plays with the phone she'd given him for his birthday. Cheap, but colorful and with a couple games. They're going to visit his friend, the doctor. His mom took the day off and they're not in a hurry. He hears her voice talking and laughing and feels her hand resting hot on his thigh, as if life was whistling a familiar song.

The Midget doesn't have a birth certificate, much less an ID. To say he was born on the street isn't too much a metaphor. It's practically literal. He doesn't have an official age or birthday. He should be a little more than ten years old, but his face defies all sensible parameters.

As you can see, the street is full of involuntary senselessness.

His daily routine consists of begging for change on the Metro. Nominally because he has a prodigious eye for an easy target. No one can spot an unattended lunchbox or Blackberry, or a slightly open zipper on a purse like he can. Insatiable hunger is the most ardent stimulus. An intimate dialog for powerful instincts where intellect doesn't come into the picture. Like the best hunters: hunger and eye, hunger and muscle, hunger and claw...

That morning he woke up with razor-sharp hunger. That is to say, with razor-sharp instincts. So much so that, as soon as he stepped onto the train car he felt a warm, sensual breeze on each side compelling him in a specific direction.

He assessed the whole train car to anticipate where he was being taken...

And suddenly, he saw it.

A present from the streets, which weren't known for their tenderness. It was the biggest, easiest target. Basically the side of a barn. He played with his phone with such a level of vulnerability that it seemed like a trap. But, as it's been said, in that choreography of the attack the intellect didn't come into play—it was all instinct.

Ready to strike, he approached begging for change without taking his eyes off him. That lateral gaze that you don't see unless you're looking for it.

They say that the eyes are windows to the soul. When their gazes crossed, Juan Ernesto recognized what Adelaida, who kept him in the last free bastion of this shitty life, had been protecting him from for nearly thirty years.

In that moment, like an aleph of nightmares, Juan Ernesto saw (discovered) dark streets, infinite hidden corners that were invariably filthy, hidden sex and forced sex, something behind a tree that you can't quite see but scares you anyway, mountains of garbage, a drunk on the floor begging for help, half a hot dog in a garbage can, some fat rats eating a kitten alive, an empty purse thrown in the gutter, tense faces that evade proximity to others, the hiding places where they keep the treasures stolen from passersby, fingers that threaten, kicks to the face, a stick in a swinging arc, men in blue approaching with baleful smiling faces, guys eagerly calling around the corner, a drum beating in your ears saying "don't go," hands rummaging through pockets, fights with knives that aren't always won... And the curious drawings that blood makes on the pavement.

The closer he got, the closer those two invisible universes converged, Juan Ernesto started to feel a dizziness and a shiver in his body that resulted in uncontrollable spasms. The Midget's face had a smile that didn't look like the doctor's or Adelaida's friends'. There was laughter on his lips, but anger in his eyes. The Midget took his phone with such certainty, that when Juan Ernesto understood that that was what was causing the tremors, he was happy to give it to him.

The word on the street is that The Midget has a future. He's the best at feeling out a situation. Taking the phone and the tone of the closing of the doors would be a perfect montage in a movie. Through the glass, Adelaida's son saw the child with his phone in his hand. He saw the door close and suddenly understood the true meaning of the concept of "forever." Hearing his mom ask him sweetly "What's wrong?" was as if a window had closed just like the train's doors, leaving all the bitterness inside his heart.

Trying to breathe while submerged in those unfamiliar waters, he heard a faltering, flutelike voice explain something about a kid and his new phone to his mother. And he also heard, far off, laughing and whispers that provoked a strange obfuscation in his chest.

"Did you see how that guy started to cry?" a girl said between stifled laughter to her classmates from the banking school.

"Don't wet your pants, faggot," another said.

The rest of the car didn't understand why the man was crying or why the adolescents were laughing at him.

About the Raise

They saw the new girl from accounting at Sambil—the one that had been there for a little less than six months in that department, the one who went to work with little skirts that fascinated half the office.

"Two kids. A four-year-old and an infant," said a devastated Salazar.

They were eating in the little room with microwaves. On the top of the machine read a message: "NO heating sardines" written with a marker on a little piece of cardboard. The others couldn't believe it. The part about the girl, of course. Salazar felt important breaking the news. This collective tragedy. The group's first reaction to the news was skepticism, scrunching their faces and saying, "No! Seriously?"

"Confirmed," said the conceited man.

Ramirez, the guy from IT, clinging to a string of hope, asked, "Couldn't they be her brothers?"

The rest let out a laugh.

"So?" said Gocho, "Anaís from reception is married. Her husband picks her up when she stays late. And she's barely twenty."

They all grew somber. That really was sad news. Anaís? The pretty dark girl with little black eyes. The one who wore pants that hugged her doll-like waist. The one with perfect little hands... Anaís, a melody that you sing with pleasure and signifies hope. Anaís? That was fucked up! Anaís...

Two pieces of bad news in the same lunch. It was too much. At least for Ignacio, who had decided, finally, to ask her out to the movies on Friday when they got paid. Ignacio, who had been courting her for weeks. Ignacio, the dejected. Ignacio...

"And speaking of payday," he slipped in, wanting everyone to be as disappointed as he was, "I heard that the old man still isn't going to pay out the raises yet."

The news was gleaned from the meeting that the owner had

had with the payroll department. The same excuses as always: clients didn't pay, "times are tough," he had had a lot of expenses because of his wife's illness (as if that were a problem for those that work eight hours a day every day), and with "this crazy guy we've got" (and of course everyone knew who that referred to).

"The old man can't stand you-know-who. Not even a little. But every time he calls a meeting, he won't let anyone speak, *se encadena*[9] for like two hours, he never talks about anything other than austerity and every four months he takes two weeks to visit his daughter in Spain, and..."

"And he always winds up imposing his point of view."

"Uh-huh, and every time he makes a decision, he says they did a ton of research. Hahahaha!" They all laughed bitterly about their own wasted witticisms.

"Right, they came to an agreement among themselves," Salazar added.

"He really cares a lot about 'my team's' opinion," said Ramírez, laughing with his eyes, like all people from Maracaibo do.

Everyone else laughed with their whole face. But it was a bitter laughter. It was a laugh that said "that old motherfucker." Two days before payday. After having made plans and having gone into debt counting on that money.

Alejandro, who had been quiet up until that point, thanks to his plate of lasagna, saved the biggest bomb for last. He barely raised his voice and said, "He's not going to pay out the raise this payday or the next... Or ever."

There was a unanimous and heavy silence.

"The old man is going to file bankruptcy and keep all the money for himself." (It was a well-known fact: Alejandro didn't

---

[9] To make or put on a *"cadena"*, on a chain It's a difficult term to explain, and even harder to understand for someone who isn't familiar with the concept. It means to make all radio and television stations in the whole country *"encadenarse"* or link up to the signal from the state-run station (meaning, to broadcast simultaneously), without any kind of compensation for the commercial norms and obligations that aren't followed during the broadcast of *"la cadena."* Venezuelans bring this into everyday speech as a way of laying blame, when someone is seen to speak without listening they say, "Cut the feed," Some *"cadenas"* last for hours, trumping special guests and generating millions in lost revenue for the producers of live programming.

speak often, but when he did...)

The rest, disconcerted, asked him with their eyes, *How do you know that?* He, the accused receiving the silent question, offered this singular response: "Don't I live near Mariana?"

Without seeing the relationship between the two things, Salazar asked, "So what?"

"I always see her at the station and we come in together."

"So what?"

Alejandro, impatient, said, "What do you mean, 'So what?' asshole? She's been going out with the old man for, like, a year. She tells me everything on our commute. That he's always giving her expensive presents and promising her he's going to leave his wife."

What discretion! None of them, gossipy as they were, knew that. José Antonio, white-faced, angrily said, dropping his spoon on his plate and throwing his hands in the air: "Seriously? Shit! I've said horrible things about the old man in front of that girl."

Alejandro laughed again, briefly, then calmly said, "So what? So does she."

Express Kidnapping in Blue

It was almost five in the morning. The street was still deserted. The first sleepwalkers could be seen on the sidewalks. The sky had the color of something about to happen. It was still cold in the Caracan dawn. A guy was driving around in the shell of a Dodge van. In the loneliness of the dawn, he tried a maneuver so innocent that even in his wildest dreams he couldn't have imagined the consequences it would produce: drive the wrong way along a stretch of a few meters to connect with a cross street (the legal alternative to get to that street without driving the wrong way, adds 600 meters to his trip; and Venezuelans, it must be said, aren't terribly troubled by laws).

In a country where no one respects traffic signs, he never would have guessed that by taking this little turn down a one-way street, he would find, right in front of him, the black statistics regarding the perception that the citizens have about institutions, represented by the figure of a *Libertador* Police Jeep[10].

The group of policemen that were traveling in the unit were composed of: 1) a small, wheat-skinned woman with dyed hair in the front seat, 2) a silent dark-skinned woman with a prominent posterior (he would find this out later), and 3) a tall, skinny, and taciturn man at the wheel. The one with the dyed hair, due to her airs and arrogance, seemed to be the one in charge. In an effort to simplify the story, let's call her Little Hen. The sleepwalking driver was what they typically call Platanote, Burrote, or Sleepy Donkey; and lest we forget about the silent dark-skinned woman with the prominent posterior, let's call her Heifer.

Let's move on to the action: the Jeep, with Sleepy Donkey at the wheel, blocked the van's path and put on its high beams. Little Hen, with her energetic and irritating voice, yelled, "Turn off the engine and get out of the vehicle!" Then she added, "Slowly, and with your hands up!"

---

[10] That is to say, of the Libertador municipality (which is supposedly the heart of Caracas), known as Policaracas or Polimatraca, which is the name that has gained the most popularity among Caracans.

By the modulation she employed, the spectator could infer that she had always wanted to yell that classic Hollywood line.

From the back seat, Heifer just watched and ruminated. The driver got out and there started the rapid dialog that could be heard by the neighbors that had been woken up by the racket. After an institutional and pseudo-enlightening discussion about respecting traffic signs (have you heard of anything so shameless?), Little Hen said, without further ado, that he should pay a fine, something within his means, after much experience doing this, she made it clear, without speaking, that she, the selfsame Little Hen, was (can you guess?) Special Agent of Retention of the Municipal Treasury (who says that bureaucracy is one of the obstacles to the efficient functioning of public institutions?).

We'll never know if the driver of that van decided he'd never give his money to that trio of nobodies; if he was one of that rare breed of scrupulously honorable people, or if he was just broke as fuck, but the truth is that he said that he recognized he was at fault, he promised he'd never sin again and implored them for clemency, claiming that he didn't have any money to pay a fine at that hour of the morning.

Little Hen, aware that whoever is out at five in the morning is short on time, and applied that old capitalist adage, "time is money," and therefore started the most Caracan tactic of deliberately delaying someone with the most painstaking check of the citizen's documents, as if to give him time to remember where his *caletica*[11] could be. The driver, after standing there for fifteen minutes in the cold, watching other cars pull the same move that he did, while looking inside the Jeep at how the cops were taking their time going through the procedures, getting desperate (or to add a bit of drama to the subject, something he'd later regret), yelled that other cars were committing the same infraction right under their noses, he didn't have the money to pay the fine, he was in a hurry, and how was it possible, by God (that's what he said) that they didn't understand that he had to

---

[11] Obvious: a secret hiding place where one keeps a little money as a contingency. The thieves that go directly for one's wallet and the police represent fully 70% of those "contingencies."

get on his way.

It was then that Little Hen's recent promotion went to her head and she got out of the truck yelling "You will NOT raise your voice at me," and "Now you'll see what a rigorous procedure really is."

The three of them got out of the Jeep. They looked so funny they almost resembled cartoons of farm animals dressed as cops. This typically happens between paydays with these nocturnal guards, they get hungry at this time, they have contingencies, their salary is never enough, their job is hard and thankless, that...ultimately, it bothered them that the person they'd chosen to put socialist precepts into practice so that he'd come through in solidarity with their breakfast, wasn't willing to cooperate (it's hard, it's hard for Venezuelans to understand that socialism is so-li-dar-i-ty).

It was almost 5:40 in the morning when, after a few calls on the radio (Sleepy Donkey said, referring to the vehicle, as if gauging the cost of the transaction with the economic assessor: "No, a Dodge, honey"), the order was categorical: that kind of harmful lack of solidarity in the face of authority couldn't be permitted.

"Let's go," they said, with a gravity at the height of the announcement, "your truck will be impounded. We'll take you to the station."

Sleepy Donkey got into the Dodge's passenger seat, it was Heifer's turn to play chauffer, and Little Hen screeched instructions, happy to be in charge of the situation. Like a shitty little kid who got everyone else to play pirates and insisted upon being the captain.

Along the way, while he saw billboards that said "The people are in charge with Chávez," the citizen (the people) was going to have plenty of miles of being driven around to decide if he'd agree to seeing how much was in the register, or if he'd call his wife to see if she'd bring a certain amount of money to a particular corner (*Yes, that money. So what if it's this month's tuition payment? Jesus, we'll pay it next month, but I'm not going to spend all day dealing with this bullshit. I had to be in Charallave at six thirty. Okay, we'll figure that one out. Hurry up).*

Meanwhile, he drove around indignant, knowing that this trio of nobodies, as he'd previously considered them, were able to make him lose his whole day. Ah, but a badge is a bitch, highly valued in a uniformed country.

The authorities? They said to themselves, convinced, "If it's not so, how could you get by on that salary?" The citizen? About to say, "Let's stop at this ATM to see how much I've got. How much did you say the fine was?" Hoping that the price hadn't gone up with the gas they'd used or due to the furious scandal of hunger in Little Hen's guts.

They're After You

Every moment and every area of this noisy city has its rhythm, its density, its smell, its *mise en scène*. Every street, every block is sustained by a silent structure that, as it happens with old people in small towns who know the time just by looking at the sun, offers the certainty that everything's in its place.

When everything's in its place, of course.

If normal people know how to read anything, in that city of fifty deaths per weekend, it's the signs warning that danger is present, a déjà vu that belies a rupture in the sequence of The Matrix... So much violence reinvigorates one's instincts. It can't be expressed in words. Only felt. Every hour the traffic is a certain way and the sidewalks have more or less the same volume of pedestrians, and the air and the sky and the color of the buildings lit by the sun in every step of its daily passage, makes up a whole that sometimes encapsulates (and sometimes doesn't) what is expected of each moment. Like the bank tellers that wear fingerprint transparencies.

Like air, you don't notice its presence, just its absence.

It was two in the afternoon when Alejandro returned to the bank on his motorcycle. He preferred using the bike because using the car would take twice as long. Fewer than twenty meters from his business he took for granted that everything had turned out fine, as always. Every Friday, after lunch, he went to the bank where he had his accounts and withdrew the money he needed to pay the checkout girl, the two guys in the warehouse, and the helper he had in his auto parts shop, not to mention all he needs for the volume of sales.

Take for granted...a habit that isn't recommended in Caracas.

In fact, as soon as he'd turned the corner he found it a little strange how deserted the street was at that time of day. Well, actually he didn't notice. He took the liberty of thinking more about his personal statistics, in the thick fog of his routine, than about the signals that he could smell in the air. The same ones that save the succulent antelopes that drink water in the wilderness. Let's go back, then: his instinct distrusted certain elements that wanted to tell him something that his reason dismissed outright.

A terrible mistake, as you can guess.

Just as he'd waved to old Carlos who spent his days in his kiosk, and when he'd swung his gaze toward his shop, he felt the guys on bikes that slowed briefly at his side pull sharply at the bag he carried. That's to say, he associated the quick tug that he felt with the guys on the bikes who, driving in the opposite direction, had passed by him without him giving them so much as a second thought. He assumed they were going to buy something from the kiosk without getting off their bikes.

Spinning around he saw that the driver had his gaze fixed straight ahead while the passenger struggled with the bag with one hand while the other pulled out a gun to point it toward him.

(Here's a good place to note the questions that wouldn't come to Alejandro's mind until much later, when he went to bed. Why the hell didn't the guy shoot when he resisted? Was the gun loaded? Would he realize he hadn't disengaged the safety in time? Was this their first job?)

But before those parentheses there is a pair of guys on a bike known as "moto-bankers," an oddly deserted street, and a victim.

Aware of the trap he'd fallen into, feeling all the signs that announced that this wasn't a typical Friday that he picked up the payroll after lunch, his body reacted exactly how he'd trained in silence. That is to say, when he pulled his bag toward him and saw the pistol they pulled out, he pulled out his own, convinced the movie would end right there for all of them.

But it's been said: for better or worse, in Caracas it's better not to take anything for granted.

Alejandro didn't think twice about moving the gun in the direction of the two bodies that were a mere twenty centimeters away and pulling the trigger. He fired eight times, moving his hand to divide the bullets equally, like someone squirting ketchup on his hamburger, waiting to receive his share... It took him a bit to realize that no shots were fired from the other gun.

The two guys had been knocked out trying to steal his bag. When he saw them on the ground with their left legs pinned down beneath the bike, he had an idea of how the game had ended. Or, he fully understood when he turned off the bike, put the kickstand down, and got off, confirming that his legs were working properly.

He'd never felt this strange happiness at discovering he was still alive. But he didn't trust them, which is why he grabbed the guys hard under their arms and, untangling them from the bike, lay them face up on the street. He kicked the unfired gun away and searched the driver's waistband looking for another weapon. He kept looking everywhere, convinced that it couldn't have ended so easily. The guys were still watching him, shocked, but not angry, with the impersonal look of their frustrated intention.

After seeing them there, the bike and the two of them spread out on the street like a peddler's merchandise, was when he became aware of the people hiding behind the cars, the ones that were getting up off the ground, the young woman who had shielded her daughter from the bullets and ran when she figured they'd stopped. In that moment he became aware that, by some divine plan, all the bullets that left that gun that he'd never used before and which represented an amulet more than anything else, all of them, had ended up in the bodies of his aggressors.

And that he was alive and they were dying.

As he absorbed what had happened, the street started filling with people. Soon there was a circle of people around the scene. His ears started to grasp the words emanating from the circle.

"Well done."

"To hell with them."

"That's why you've gotta kill them."

"Finish them off—they've seen your face."

Alejandro felt that he was clearly on the side of good, of justice. Life had led him into a duel and he was the one still standing, while the other two were being photographed by the neighbors' phones, "Because if I see them around again, I'll kill them."

Not half an hour had passed when the first group of National Police arrived. And then another. And another. And another. And another.

And they kept coming.

It seemed strange to everyone that police kept showing up to tend to a case that was already under control. But they kept coming. Until they discovered the reason. One of the guys had priors for robbery...but the other was a colleague.

Of the policemen, of course.

Meaning, a companion in corruption, no more, no less.

Alejandro is thinking about selling the business. After ten years at that point, he doesn't only feel the weight of the idea of leaving the neighborhood, or the city, but the country as a whole. First it was the visits from the uniformed cops. They always spoke of expertise, of investigations, of paperwork that had nothing to do with the case. They always complicated things asking for new documents. But as Alejandro is the poster child for fastidiousness and doing things by the book, the uniformed officers don't go after his business anymore. Now cars pass by with strange men inside, going around the block, disrupting the sense of normalcy on the street. Turning those interruptions into a dangerous new normal.

Until something strange explodes.

That's why the oldest neighbors, those that have seen it all, tell him calmly but firmly, "Get the fuck out of here, Alejandro. They're after you."

COULD IT BE DENGUE?

> *God? My bike and my piece*
> A thug talking about religion

Twenty-three years can seem like nothing, but more than half the people he grew up with are out of combat. The key, he's always thought, is to work alone. Partners are always shot dead while splitting the take.

Partners, accomplices, bills, lies, traps, greed, vengeance...

It's been three blocks and the rabbit hasn't escaped. At one point he boarded the Metro and got off five stops further on. He knows that, if he doesn't lose sight of him, within three blocks they let their guard down. Then it's just a question of waiting for the right place. They freeze up when you cut them off and pull out your piece. They're surprised like they'd forgotten that they were carrying a ball of money, that thousands of eyes are watching them, that the money is scandalous and their pockets are transparent.

That they're here: in Caracas.

He works alone and so keeps more for himself. But others pay for information. And that information is valuable. It works on insurance. Cashiers, guards, valets, waiters, kiosk workers, messengers (not prosecutors, they work only for their guild), they all expect their cut for giving their sign. He despises them.

"They're nothing but shitty stick-up men," he says. "If they want to get paid, they should pick up a gun," he philosophizes.

The guy walks with confidence. He wants to give off an air of aplomb as he buys cigarettes at a newsstand. He looks to both sides, nervously, and pays. They're waiting for him fifteen meters down the road. He wants to get it over with quickly because that weird feeling in his body that he woke up with is chilling him from inside. *What the hell could it be?* he asks himself. Whatever it is goes flying through his bloodstream like boiling quicksilver.

It feels like his whole skeleton has rusted. And while he usually doesn't worry too much about his body, in less than two hours he's ready to make an exception. His eyes feel like they're cooking in their sockets. Like a helmet is crushing his head. Like something is drilling holes in his legs.

The rabbit keeps walking and he sticks to him, aware he's not at the top of his game. He follows him for two more blocks. He's about to lose his patience when he sees him take the key out of his pocket and move his head in all directions, as if nothing were wrong. As if there hadn't been an invisible pulse growing between the two of them for the last few blocks. The street is deserted. It gives itself over to The Den of Thieves. He picks up the pace. The rabbit disengages the car's alarm and when he puts the key in the door, he's already behind him, pushing the barrel into his ribs.

"The envelope or I'll light your ass up!"[12]

Fortunately for the rabbit, for his life, for his possible relatives, he doesn't consider himself a super hero. He cooperates: he hands him the envelope without looking up (life as a whole is a game of poker, a long and infinite "if," a notebook that is rewritten with every conditional), without knowing if the delinquent that's robbing him had to put a percentage on his capacities, he'd give himself twenty percent, tops. But in his hands is the decision of whether his victim would have breakfast at home tomorrow or not. And that makes all the difference.

He takes the envelope and he leaves, with his chills, the pain in his joints, the burning in his eyes, his head like a sack of sand.

Could it be dengue? he asks himself, scared.

Driving on his bike, he sees a pharmacy and decides he can't wait any more. He goes inside. The A/C passes over his skin. Closed spaces have always made him uncomfortable, even more so if they're far from home. Additionally, he doesn't like strangers. And the place is full of strangers.

He takes a number and sees on the screen that there are seven people ahead of him. He's tempted to pull out his piece

---

[12] The ancestors of such an old occupation used to say, with more modesty or more beautifully, "Your purse or your life."

and deal with things the way he normally would, but he contains himself. He feels like someone has worked him over with a bat and needs them to prescribe him something. He swears. He looks at the shelves. At people's shoes.

There are still five people ahead of him and he tries to distract himself staring at the cleavage of a girl who's there with her boyfriend waiting their turn. Track pants and a few large freckles on her chest. The girl looks at him scared and holds her boyfriend tighter. He feels the urge to rob her, just because the way she looks at him pisses him off. He searches for his face in the mirror by the glasses section and what he sees is a thug with a soaring fever. He looks around and realizes that everyone else sees the same thing. He starts to feel paranoid. He's tempted to rob them all, but he opts for prudence.

He looks up and there are still two people in front of him. He's going to ask the chick in the blue scrubs for something for this discomfort and he's going to disappear, before he turns into a monster right there. Could it be dengue? He's imagining the conversation when he hears a guy yelling.

When he looks up he sees a little insect with a huge gun gripped in both hands, his arms extended moving them from side to side, coming out from among the shelves. In spite of how slow this fever is making him, he pushes up against a wall and looks toward the entrance to see if the guy is alone. There's another guy at the door. When the guy who's yelling points the gun at him, he sees that the gun's safety is off and it's loaded, so he looks down and obeys his orders. He wonders if he has time to pull out his gun, but he knows his reflexes won't help him. His joints are burning in pain. Could this be dengue?

He decides that he can't let himself be held up at gunpoint. The insect who's yelling is very nervous. One of the neurons that's still awake fires off a joke, *Thugs should have ID cards and a union.* The one at the door has his gun pointing at the floor, as he should. The pharmacy windows let you see half his body and from outside you'd only see a guy watching the street, but chill. He glances outside and confirms that there isn't a third. They're working as a pair. *I could tell you a story about partners,* he thinks.

Surely the one who's yelling will leave first and the other will cover him. They're cleaning out the registers. If they don't mess with the clientele, maybe he'll just keep calm until they leave.

But the one who was at the door, enters the scene: "No messing around, phones and Blackberrys in here," he says, grabbing one of the pharmacy's baskets. He lets him pass by and starts moving toward the door very carefully. His headache, concentration, eyes, save his skin. The guy yelling at the customers. He's close to the door now. *This shit has to be dengue.* He's two steps from the door. One more and he's good, because the wall will protect him after that.

If I have to squeeze off a couple rounds to cover myself, fine, he thinks.

He hears that they've already cleaned out the registers and they just need to finish with the customers. He can see the sidewalk in the cool evening and confirms that there's no car waiting for them. Which is to say, these dudes are on foot. Which is to say, they're going to leave the pharmacy walking. Which is to say, he's got a shot because they're not going to chase after him.

He takes another step. His ears are buzzing. The breeze seeps in through the cracks in the glass door. He sees a fat woman walking toward the pharmacy. He regards the two guys. His eyes are burning but he concentrates. Gotta look out for number one. He takes one last look inside gives it everything he has. He pushes the door with his whole body, but the guy that approaches him with the basket, points the gun at him, expressionless. He hears the explosion and hears the screams. He hears the screams and the glass. He feels like someone pushed him and his side starts to feel wet.

From the sidewalk he sees the fat woman laugh, showing all her teeth. He also sees the two guys' shoes jumping over him, toward the street. He starts to feel a burning close to his soaked side. Someone yells something about a phone and for the first time all day he feels a bit of relief from his headache.

He wants to take out his gun, but a wonderful sleep overcomes him.

He understands that the fat woman wasn't laughing when he sees the girl with the freckles consoling her while they hug each other.

That must be her mom, he thinks.

A NECESSARY AND DESERVED BREAK

Caracas is located in hell,
but it's not the capital.
Daniel Pratt

With a nasal voice, the old man asks the cashier how late the agency is open. He moves among the customers like an old truck carrying sticks that coughs and belches smoke, without moving forward. Everyone has a hard time understanding what he says, and he has a hard time understanding the world. If this is the portico, immortality doesn't look terribly attractive.

The third time the cashier tries to make himself understood through the hole in the ticket window, raising his voice each time, they start to hear chuckling. Contrary to how it may seem, the laughter isn't malicious or vile. Without them knowing it, it's nervous, surprised laughter. Laughter of admiration and confusion. The one who knows how to listen hears the following question in that laughter: How many people have the luxury of dying intact, moving through life and death from point a to point b, in this fleeting gunpowder city?

*

The girl tells her dad that she really liked when that pair of kids that sang funny songs on the Metro would get on the train. "They were two ugly, friendly guys that sang something halfway between rap and country," her father remembers.

"They were very happy," the girl says, "and you don't see them around anymore." Her dad realizes that it's not just them, but all the musicians and their surrounding universe disappeared from the Metro, without leaving a trace of their existence. No one could remember the day that marked their disappearance.

Just as they'd arrived, they'd left.

Was it true that at one time you could travel on the Metro

listening to ballads, rock, vallenatos, boleros, rap, and musicians playing musical instruments? Their disappearance was so abrupt and so complete, that even those that had seen them doubt their memories.

And there are those that say that marvelous things don't happen in this smoky valley.

*

The woman is forty-something. Dark-skinned, fat, tall. Her arms look like robust Chinese ironware hangers: a purse, a lunchbox, some folders, and a tote bag hang from her arms like a mutant tree.

A piece of paper slips from her hand. The woman (purse, folders, heels, socks, heat, varicose veins, exhaustion, spine) stops short, following the trajectory of the document until it lands on the ground. With a weighty gesture more than one of opposition, it takes her a beat to understand that she has to bend down.

She sighs and resigns herself to it.

A man hurries in the opposite direction. Everyone's in a hurry in Caracas. The man stops with almost violent precision in front of the woman. The woman knows that in Caracas, he who stops, loses. More so if one's arms are occupied. The man bends down nimbly and, with an attentive and almost theatrical gesture, picks up the paper, brushes it off and puts it, reverentially, within reach of the two free fingers that wait ready to grab it. The woman lets loose a smile that's splendid, total, beautiful, as if the man of her dreams had asked her to marry him. The man returns her smile and disappears into the crowd.

All you need is love, someone who received the fortuitous present of witnessing the scene sings silently to himself.

*

Three girls walk toward the avenue. Simple, graceless, don't elicit the typical looks from the men as they pass. They are happy, though. And they're looking to make their way in the world. The three of them laugh and whisper all at once. They get to the corner. The blind man that sells phone cards hears them pass and says, "What a beautiful song coming from those dolls! It's enough to make you fall in love with all three of them!"

The men in the vicinity turn to look at him, incredulous, skeptical, disdainful. Only one of them closes his eyes and grabs the rest of the music that is receding from the air. A few seconds later he feels happiness and also shame that his sight prevented him from seeing true beauty.

*

A kid walks up a lonely street full of mechanics' workshops. He's coming from school. The stains on his blue shirt belie the ravages of the games during recess. He walks in the middle of the street, disheveled and sweaty. He has a finger in his nose and he rummages around methodically with a vacant expression. Two guys come up behind him, fast. They catch up with him and, passing by, one of them (fat, tall, grey-haired) says, without looking at him or losing the thread of their conversation, "Shit, kid, you're going to puncture your eye."

They let out some raucous laughter, but immediately go back to their conversation, as if right after saying it, he's forgotten it.

"Old faggot," the boy says under his breath, angrily, looking fixedly on the broad back moving away from him.

The guy has his hand in his pocket, and upon pulling it out quickly he drops a twenty that, folded in fourths, flies clumsily and lands on the sidewalk. The kid follows the bill with his eyes and hastens his step. He stoops to grab it and stuffs it in his pocket, with a satisfied and vindicated smile.

The guy who'd made the joke, winks and says to the other, "We're not going to laugh at the little dude's expense without making up for it, are we?"

And they laugh loudly again.

*

It's seven thirty in the morning. The breeze is cold. For days the grey sky has denied Caracans that luminous and cool light so emblematic of December. A hard year that seems to want to end the same way.

The bus takes the street meter by meter, between horns and bellowing. Between motorcycles that smash mirrors and people that jump over puddles and swear. It's been days since the sun has shown its face. People talk about landslides. There's fear in the air. Fear and a huge sullenness due to so many days having to go out and make a living in these circumstances.

A guy follows the bus and climbs aboard before it comes to a stop. Only he knows why he has such a big smile on his face. He appears to be one of those fastidious guys who speak loudly, looking for a conversation with strangers. Upon seeing him, people start to deny him that possibility, hiding their faces in their newspapers, their iPod screens, out the bus' windows, inspecting their shoes...

Dripping wet, the guy settles into the narrow aisle and offers a bad joke. Seeing him soaked and smiling produces something contagious in those sullen faces. The guy laughs, moving his shoulders. The woman with the blue sweater, yields to the tension and, initially, she allows herself to smile, which later becomes a laugh. Seeing this, the girl with the folder between her legs and the glasses with the metal frames, glances briefly toward the man sitting next to her and, pretending to look for something in her folder, also smiles broadly. Her neighbor laughs openly, first quietly and then moving his belly like prow of a boat moving from wave to wave. The two guys from the kitchen don't wait long to add to the laughter.

It's a bad joke. No one will be able to remember it when they want to retell it after getting to their destination. But it's not the joke itself, it's a tingling that runs over their faces, arms, and heart, and makes them feel that it's about time they give themselves a necessary and deserved break.

And as a Gift, the Rest of Your Life

for Juan Carrillo

If it's about having stories to tell, taxi drivers could be the kind of writers that have never have to deal with the terrible specter of a blank page.

Geologists of the beating of the streets, taxi drivers are the seismographs of a hidden world that, like icebergs, show the smallest part of what they hide in their bowels. They're the shamans of Abracadabra that lay bare a hidden city before the eyes of those who take the time to listen.

An old taxi driver is a hardened warrior, a skillful hunter. If there's such a thing as a difficult job, it's this one. Every day having to deal with the great-great-grandchildren of Attila (let's call them "bikers"), the bus drivers who think that the biggest vehicles always have the right-of-way, the all-powerful caravans of "personalities," and the traffic cops[13]. They have to belong to a race as armored as cockroaches.

That's to say nothing of their prodigious capacity to survive in the underworld.

Pascual wound up being a taxi driver like one who suddenly found himself taking stock of the time he'd spent living with someone who he was once indifferent to. Or someone who wound up living in Güiria. Because that's how it was. It started as an option to stay afloat during a difficult time. With time the substantial epoch became a substantial life and, like the career of a university professor, what started as a few hours a week ended up being a job of exclusive dedication.

Life, as you know, tells jokes that only it finds funny.

A master at surviving the city, he knew that here you have to mete out the anguish. More than twenty years running through

---

[13] A cab driver told the story about how a cop once confided in him that on payday they were called to meet in the yard, and once they were all gathered, the commander told them, "They sent the paycheck but not the lunch vouchers...so you're going to have to figure that out yourselves."

Caracas' veins behind the wheel had taught him not to waste life carelessly.

"Caracans kill themselves drinking a cocktail of paranoia, anger, impatience, anxiety, and terror all day," he said to any passenger willing to listen.

And just as he wound up a taxi driver because *that's how it goes*, similarly he was still alive because that's how it goes. There had been plenty of occasions for him to have lost his life over the years. They'd held him up with all known methods (even with a nylon stocking around his neck), he'd been the unexpected getaway driver/hostage in an escape, he'd taken gunshot victims to the hospital, he'd picked up passengers who he later discovered were being followed by a hail of bullets, and once his car was cordoned off by the bomb squad over a suitcase left on the back seat. The same back seat that, it must be said, had seen its fair share of groping and humidity.

That was why, when he said he was alive, he said it in capital letters.

This life lived on the edge taught him to see the lighter side of the smallest incidents. Like the time that four "functionaries" of an unidentified police unit stopped him and gave him an address of a house they were going to raid. "Don't stop at any lights—you're on commission."

And of course they didn't pay him for the trip.

The morning before he woke up on his sixtieth birthday, he felt an unexpected rejection at the idea of going out, as he always did, to go to war with the streets. It could be that he was tired of being weary of his passengers and swallowing exhaust, fighting with bikers and the numbness and pains in his knee caused by the clutch; but more than anything he found himself bored with a job that no longer offered any surprises.

He decided this would be the last day before he hung up his armor, and that's what he told his wife. She was pensive for a moment and then swatted at the air as if to brush away an odious idea.

No unexpected event topped off his last day behind the wheel. More of the same: lines, races, people cursing the government... He worked until two in the afternoon, then went home to eat and relax. He went back out at six. He figured that, certainly he'd be at home in bed by twelve.

Close to eleven he picked up a guy near Chacao. Tan, thirtysomething years old, a broad face, long jacket. A guy like any other who could be out on the street on a Thursday at that hour.

"How much to Plaza Sucre?"

Every taxi driver sticks to the areas he knows and Pascual had no problem with the streets in Catia. He said, "Seventy," to be able to head home after this fare. The guy opened the back door without a word and, once inside, said simply, "Put the windows up."

Twenty years driving people around hadn't been in vain. Pascual recognized the spinster, the unfaithful, the paranoid, the alcoholic in crisis, the deluded, the suicidal, those who have no one waiting for them at home, the psychopath... And this guy who was sitting in the back seat of his car, without a doubt, was a delinquent. You could feel it in his pheromones, in his perspiration, in his gaze. Drugs, robberies, the guy who had the driver's neck within easy striking distance was into something dirty on this last night of Pascual's job.

Pascual tried a couple conversations that crashed against the silence of a shadow in the rear view mirror. Upon arriving at Plaza Sucre the guy said, "Keep on going. I'll tell you when."

They drove a few more blocks through streets that became suddenly deserted. Pascual tried to slow down, "Keep going, I'll tell you when."

"Shit, we're almost at Los Magallanes, and the price isn't the same," Pascual complained.

"Quit your bitching and turn at the next street, for chrissake. And charge whatever you want."

Pascual turned where he was told and the express silence of the street was broken by the sound of the tires splashing through a puddle, like a boat running aground on the beach.

A few meters away stood three guys, who were surely waiting for the one who had just arrived. Pascual, nervous, turned on the dome light. The guy got out of the car so quickly he didn't see the envelope that fell out of his jacket pocket. Hearing the door close, Pascual looked out the window and momentarily lost sight of him.

He suddenly caught sight of the envelope that was on the seat.

Without understanding everything that was happening, he tried to tell the guy he'd left something...

"Get lost, you're lucky you're still alive!" the guy yelled as he walked away.

Pascual understood that something had happened that wasn't unusual, but rather extraordinary on his last day as a taxi driver. Someone (and he didn't know who) someone had given him what remained of his life. He could aspire to die in his sleep instead of on a street in Los Magallanes.

His tires squealed a little when he accelerated.

When he found a place with enough light, he stopped the car. He grabbed the trunnel he kept under his seat and went to the back door as if he were going to evict a drunk who had fallen asleep. He opened the door and, without letting go of the trunnel, he grabbed the envelope with two fingers of his free hand. *Could it be drugs?* he asked himself. *All I need is for the police to pull me over.* He examined the outside until he felt comfortable taking a look at what was in it.

Inside were two packs. In one of them, just a superficial count, he figured there must be more than fifty one-hundred bolivar notes. The other seemed thicker.

He drove to the highway and took off, trying not to think about anything, until he got to an arepa restaurant in El Rosal. Here he confirmed that at least one of the bills wasn't fake. He ordered another arepa and then a few beers, toasting the gift and his sixty years. He ordered another two cans to go and got in his cab. He drove feeling like he was passing through an invisible curtain that floated in the loneliness of the dawn.

It was about four when he got to Cota Mil. In El Mirador, feeling he was the inscrutable avenger of all cab drivers who had been robbed, he waited to see the sun reaching the edges of Petare at a gallop. He thought about the city that takes everything from you but one day even celebrates your birthday, and delights in those pallid orange and green tones that brew slowly. He opened the beer he'd saved for the occasion and concluded, with a mixture of happiness and confusion, that this was the view of the city that those who had won the battle deserved. Later he settled into his seat to get a few hours' sleep.

There's no reason to live life so cautiously when it's a gift, he thought, yawning.

Push the Button Again

No one was sure how or when it all started. The atmosphere was submerged in the classic murmur of a half-full train car. A little couple here, a group of boys there, three older coworkers speaking poorly about their boss, the radio-cicada emanating from a phone tunneling like a mole among the conversations, until some voices stopped it dead, silencing all other sounds.

"You're a real piece of shit, is what you are!"

"What's your problem, asshole?"

"You'd better watch it, son!"

"Let's go, then!"

Everyone who wanted to get home, everyone who was tired after a long day at work, those that had to go to the bathroom or were hungry, felt the pricks of the needle that sewed complications in their bones. They started to look around, to see how close it was, how serious, how dangerous.

Those that tell the story to their friends, their husbands, their mothers would offer different versions of how it all started. Apparently a thug was harassing a young woman. Tired of fighting with her boss, with her children's father, with her landlord, the girl preferred to avoid confrontation. But the guy insisted, provoking the reaction from...let's call him Super, a reformed thug that witnessed everything in silence, whose record never included domestic violence.

"Was your mom a donkey?" was the affable question with which he entered the scene.

Long story short, Super and The Bad Guy (because every hero, in order to exist, needs a guy who's as unhinged and dangerous as he is on the other side of the street, who justifies him) kept arguing. At its core the girl was the pretext. At its core anyone looking for a fight, or anyone who feels like the world just needs a kick in the ass from time to time, will always find the occasion. At its core, in those cases, "will find" is substituted, cryptically, with "will look for." At its core, in Caracas one shouldn't raise his voice, or rub up against, or push anybody if he's not ready to bet everything on a single number in the Venezuelan roulette.

No one knew who was faster, The Bad Guy or Super, what is certain is that suddenly, both continued threatening each other, one with a knife in his hand and the other brandishing a decently sized wrench. No one, in this city with such discouraging statistics, wants to be the protagonist in a story of violence. Well, almost no one. The people in Caracas are tired of violence, what happens is that sometimes they foster it unwittingly, a) because it's imbued in the culture, b) because it can't be avoided, c) because they don't realize it, or d) simply because they don't know they should deprogram themselves from this search.

And additionally, e) all of the above.

No one wanted to be close to the action, which is why everyone present accumulated at the ends of the car, leaving them in the middle, alone, as if they were going to start dancing.

Ultimately every dance is a duel and every duel is a dance. In fact, a little half-rhythmic instrumental music could be heard from the speakers.

If they stopped to think about what to do, a significant percentage of the potential collateral victims of the crime would have thought that if the alarm sounded, the two guys might turn their ire to the other passengers, and that fury could bring unexpected consequences in a car which, at that moment, was traveling through the long tunnel that separated Plaza Venezuela from Colegio Ingenieros. But another important percentage would be convinced that "something" had to be done before getting hurt for free.

Both opinions deserved to be heard. In total, from other points of view, both attended to the need to save their own skin. This division would essentially come down to those more skeptical of the integrity of the authorities versus those that still had a minimum of faith in that institution.

But there wasn't time to submit it to thorough scrutiny, for one intrepid hand (or a desperate one, which is the same thing) slipped out among the accumulated mass by one of the doors and pushed the red button. That new element added more tension to the scene. The guys were in the middle of the process of starting their street dance when they heard the alarm. The Bad Guy took it the worst and looked around, as if he had the impulse to get into it with the tattletale; but Super noted it strongly, which is why he attended to the problems in order of urgency.

The background music was interrupted to give way to the operator's voice whispering that he'd received an alarm and that if the emergency was ongoing, "Push the button again." In reality, no one understood his unintelligible murmuring, but everyone knows what they say in those cases, so they don't have to say it.

This produced new tension and a new dilemma. The people convinced that it was a bad idea to provoke them started to look around for that adventurous person in the hopes of neutralizing another attempt. Now with more urgency, given that The Bad Guy's face reinforced his thesis. But at that moment the train quickly applied its brakes, shifting the attention of the passengers to the two guys who were in the middle of the car not holding onto anything.

The braking stirred up the immediacy of the blow. Taking advantage of the rekindled interest in the development in the center of the stage, another (or the same) adventurous soul pushed the button again.

The *mise en scène* was, as old time boxing announcers used to say, not for the faint of heart. The alarm stayed on, the pit bulls intensified their movements to tear each other apart with their teeth as quickly as possible, the generalized whispers of the people that disapproved of the action, the voice of the operator assuring them that, "The alarm would be attended to at the next station," the heat of the car, the guys' insults, the train that refused to move, a baby crying due to the heat, the nerves that started to spread like a virus among the throng, the shouts in favor of Super and against The Bad Guy, the certainty of the latter at having the entire car against him without knowing how much he could count on his luck, the suffocating heat, stopping in the middle of the tunnel, the old national fight between Long Live

Chávez and Death to Chávez, the train that never started up...

And, as if all that weren't enough, the lights in the car suddenly went out.

The Word Melancholy

for Ariadna and Rodrigo

And even when you find yourself in a prison, whose walls don't allow any of the sounds or noises of the world to pass through to your senses, wouldn't you still be left with your infancy, that precious royal jewel, that alcove that guards the treasures of memory?
Rainer Maria Rilke

When her inconsiderate brother threw her friend out the window, the little girl reacted as anyone would upon seeing something dear to them fall into the abyss. Who says being younger than two gives you the right to disrespect all rules of the game?

Their mother went downstairs to rescue the girl's heart, which had been thrown after the stuffed animal, but couldn't find even a trace of it. When she returned, devastated, the girl still looked to the balcony with a mixture of hope and anguish, as you wait for everything when you feel like it's in vain.

There were no arguments that would suffice to get the girl to take back a millimeter of her mixture of confusion with life and her profound hatred for the little delinquent. (Thankfully, Mom had the good sense not to employ the overused "I'll buy you a new one later." It had nothing to do with that: love never has anything to do with that.)

And, as in all the stories set in these times, the ruffian was out there, living his broad and happy life, laughing insolently, and ignoring the pain and anger that never let him out of its sight.

Borges once said that there aren't millions of ants, there are millions of different beings that look similar, but that the differences are so subtle that it makes them look the same.

The girl, of course, wasn't old enough to have read Borges, but she knew that only love lets us focus our gaze so sharply that it lets us see what a person (even a stuffed one) has that's unique to them alone. A beauty mark in the corner of a lip, that tiny stain on the left eye, that right ear slightly more bent than its pair...

Terrible word: unique. It's dizzying to imagine that for every heart there is a certain number of beings that are infinitely different from everyone else. Dozens, hundreds, thousands of keys that have their own place in every heart. Hundreds of thousands of unique people ruining the logic of mathematics. Millions of unique people, like the one that had fallen from the balcony, and who looked nothing like a warehouse full of stuffed animals. The girl went to her room while dad babbled something like, "I'm sure it's in good hands," discovering that in the face of sorrow, all words are useless.

After half an hour her mom decided to go in and alleviate her loneliness. She found her drawing while she absentmindedly wiped the tears that fell as if coming from a wound that was almost healed.

"Oh, you're smiling in the drawing," her mom said, looking for the bright side.

"Yeah, but that's because I was with him," the girl replied, seriously and far away, while her eyes embodied a precise definition of the word "melancholy."

In a Small Square

literature installs itself in the land of conflict and disaster
Roberto Bolaño

While it's being traversed, you can't see its tragedy. Ultimately cars, dogs, drunks[14] are the same everywhere. But anyone who is familiar with it after midnight knows that on that street, even the telephone poles look over their shoulders.

A car (an executive taxi) stopped suddenly and two guys, who were intent upon continuing the drama that they brought with them from wherever they came from, got out. They were drunk and angry—a typical and terrible combination—well, one more than the other. They started to show signs of fighting and immediately the cab driver got out. The similarities between the two guys were obvious, but the similarities between them and the driver were unquestionable: this movie has the aspect of a family drama. The only difference was that they were in shorts and gym shoes and the driver was in a shirt and tie. Even their curls and sharp noses were the same. A little more of a belly, a little less astonished, but that face made it clear they were related.

The typical drunks that were on the corner, their perception sharpened by their spirited drinks, drew their first conclusions.

"The old man," one of them said, "is the boys' dad and he works the airport route."

"Yeah. He went to the beach to pick them up and take them home," says another.

"Clearly, but the two kids are wasted and that one decided to become a monster."

"The younger one, right?" says the other, happy that they were in agreement about his observations.

On the taxi's roof there was a leather bag inside of which you could assume were some surfboards. The old man, after

---

[14] Substantial, without a doubt, loud and appropriate for a chronicle of a city besieged by noise pollution.

trying to play referee and make useless pleas for civility, tired of the situation and since *I have to get to work, goddamnit,* started to untie the boards from the roof of the car and took the bags out of the trunk and threw them on the sidewalk. He pretended to get tired of it and they pretended to step away and, apologizing to their dad, started putting the things back in the car.

They hadn't finished when they took up the threats of beatings, the insults, the yelling. The old man got fed up, this time for real, he threw the bags on the street and without giving them any chance at all, he got in the car and, after a forceful slamming of the door, sped away leaving them on the side of the road with their surfboards, their bags, their stupor, and their bile.

They spent a little less than an hour suffering whistles, shouts, and even one or two bottles thrown by the layabouts that watched them from the liquor store on the other side of the street. Bottles that were certainly looking for the blood that the brothers clearly had no intention of spilling. An old man (who figured they were barely twenty years old and compared them with his boxer puppy: too big and too much nerve; too little brains or mettle) felt bad for the two brothers and crossed the street to warn them[15], with a biblical voice, "I don't know what your deal is. I just know that this street is dangerous and if you don't get a cab quickly and get out of here, you're going to learn the hard way that there are some things that brothers should never do. Need some examples?"

The boxers alternated looks from the ground, to the old man, to each other, to the street. The old man continued without waiting for their answer, "Like fighting on a street you're unfamiliar with." Then, after turning away, he murmured something like, "Don't listen to me and you'll be invoking Atë."

The advice was so sound that it was impossible for it to get into the heads of twentysomethings congested with a scandalous mixture of cocaine, testosterone, and alcohol. The sentence was

---

[15] They didn't know it, but they heard the voice of a filthy and argumentative angel, as street angels usually are. Whoever ignores that voice won't wake up to brag about their imprudent arrogance. The contact with street angels is more common than what people think. The author, Alfredo Armas Alfonzo, for example, documented many of his "fortuitous" apparitions in his books.

so unappealable that they were obligated to ignore it, just as corresponds to every event we would consider a tragedy.

As soon as he'd turned around, the old man considered his mission accomplished. It wouldn't matter if he crossed the dark street and disappeared among the mountains of garbage or if he rose up, unfurling some extraordinary snow-white wings. It wouldn't matter if he faded away or got into a black car that was waiting for him. Nothing they witnessed, no mystic wonder, would produce the slightest surprise; that hint that would shake or save them.

The boxers continued their barking, their threats, the shoving until much after they closed the liquor store and the drunks got bored with the bloodless fight that had no genuine appetite for annihilation. Boring, like every fight where life isn't in the balance.

In effect, the liquor store closed, all the stores in the area closed, the traffic subsided, the people who were still on the street began to walk more briskly, the cars distanced their stupid growls, the dogs trotted suspiciously, the last of the drunks became delirious trying to float in the flooded lake of their intoxicated brains... And the street sellers started to come out of their hiding places, the rats from their sewers, and the Morlocks from their hovels.

And it was then, with a scene looking like a nuclear nightmare, scarlet rain, that the boys felt alone on the street that very recently (a few hours in formal time) had seemed, at least, alive. They tried to hail a cab, but what taxi was going to stop at eleven o'clock at night for two dirty kids in Bermuda shorts, with drunk faces and looking like *they're not from around here?* All the cabs that were interested in stopping accelerated when they got a look at them. And the more they waited and the more anguished they were as they threw themselves at the cars, the taxis avoided them even more quickly[16].

More than half an hour later, when the street was as deserted

---

[16] You shouldn't judge them too harshly: cab drivers aren't Dominican brothers, they're people who want to get home safely and are very conscious that this time of night is as profitable as it is dangerous.

as the boys were desperate, the lights of a car that was moving very slowly down the street started to creep toward them. Inside, one, two, three, four wolves with faces off a family album in a forensic police station, smoking rocks and watching the street, alert, looking for lambs outside their pens. They were hungry. And on their foreheads they bore the mark of Atropos, the inflexible.

As it was dark, the kids couldn't see the contents of the package, they just saw a friendly car driving slowly intent upon helping them.

"There are still good people in the world. Fuckin'-A."

The wolves thought this was so easy even they were suspicious. They stopped three meters ahead to make sure that what they saw from afar was the same as what they saw in their mirror: two little roosters—with a huge suitcase and two fancy bags, which must have been full of some valuable objects—hitchhiking on this street, at this time of night.

"It's enough to make your mouth water, right?"

"Come on, dipshit, they stopped," crowed the older rooster. The other one, after everything, as always, obeyed.

The jackals saw them approach and their eyes salivated. One of them took out a rusty knife; the one in front, a screwdriver. Another, who only had one tooth in his head, an old .38 and hid it, putting his other hand on top.

As corresponds with the laws of the genre, the boys didn't remember the advice of the angel/old man/herald sent by a pious God to try to save them from their fate, when one of the car doors opened.

The rest would be told in a small square in the newspaper the next day. Small, because space in the press doesn't allow for much. And it wouldn't be the most visible crime in the police chronicle that day.

WHAT DO THEY CALL PEOPLE FROM CHIVACOA?

for Laura Rivero and Militza Vásquez

> *I never feel sadness*
> *I never feel pain*
> *With my cunning and with my stealth*
> *I don't need a brain*
> Emir Kusturica

You don't live in Caracas, you endure it. To traverse it from point to point on the clock it's convenient to submerge yourself in one of the many recipes for bewilderment. The idea, after all, is to endure it thinking you enjoy it. For example, there's always losing yourself in your iPod playlist turned up as high as it'll go. There's pot, huffing glue, alcohol. There's the recklessness of ostentation: an Avalanche as big as your insecurity, a powerful and fast BMW, a huge gun, a hard face inside a leather jacket. Or spike your veins with the Lines of the Possessed to fully realize your hatred. You can also drive up on the sidewalk with your car, honk impatiently, run red lights, or carry out any kind of irrational act that helps you keep walking the perpetual line with the abyss on one side and death on the other.

Or drink of the euphoria of suicide. One activated by the password "What's going on tonight?" One that doesn't know danger, inflation, crisis, and doesn't seem to attend the most delayed striptease known in the annals of dictatorships.

Andreína was out in that placebo with some coworkers from the bank that night. After checking out Las Mercedes and El Rosal with no luck, they wound up finding a place at a bar alongside Centro Solano Plaza. A table for five, music you can dance to, and cold beer. Who says God doesn't look down from time to time?

By the third round they'd already forgotten what they were celebrating. By the fifth, they'd ordered a platter of grilled food.

By the seventh, they'd determined that Ordóñez's promotion had a suspicious relationship to her lunches with the manager, and by the eighth they didn't notice that there were only four other tables occupied, but they did notice the sudden presence of the three guys sitting at the table next to the bathroom hallway, in front of the cash register.

It's not that they were poorly dressed. It wasn't that they looked like delinquents. It's not that they were ugly ("Nooo!" yelled the three girls in unison). It was something undefinable, elastic, elusive. Something disquieting for some reason that no one could put her finger on.

The ninth round came as a surprise. "Compliments of those gentlemen," said the waiter pointing his lips in the direction of the table next to the bathrooms. They had supposedly already ordered the last round, being cautious, they were going to ask for the check but, with the first measures of a song by Willie Colón, a hand extended itself in front of Andreína.

Lifting her gaze, she confirmed her fears. At the table, they all looked at her out of the corners of their eyes pretending to be concentrating on the conversation, but she panned around and with her eyes said something to the effect of, *Don't worry. It's okay.*

She gave him her hand and they went to the dance floor. Dark-skinned, thin, tall, a description that could be applied to one out of four guys that hits on a girl at these nocturnal places. Close up, Andreína confirmed that a) the guy wasn't poorly dressed, b) the guy wasn't ugly at all, and c) the guy was somehow intimidating but it wasn't easy to define why.

He also danced deliciously and she had wanted to dance for a while now. Maybe because of that last fact they danced to five songs in a row and, although she never lost that disquieted feeling, she started to get used to it, feeling that it was something impersonal, as if it faded away with him without her noticing it.

We're talking about a girl with ten beers in her and who really wants to dance. We're talking about how in Caracas you have to submerge yourself in any of the many recipes for bewilderment. And it came in a pleasant package.

But we're also talking about the typical two sides to a coin. Because after the fifth song, she returned to her table and firmly but softly said, "Let's go."

It was the time for Salsa Brava. After Willie Colón came Sonido Bestial. And then, "Where are you going, Chichi?" She, descended from a long line of dancers, didn't get scared off. The people accompanying her partner spoke in quiet and relaxed voices, away from them, tracing imaginary maps with their hands. The guys talked amongst themselves but kept watching the dancers out of the corners of their eyes. The guy was on fire with each step. The girl honored her heritage.

The guy talked as well as he danced. About everything. In no particular order. He said Larry Harlow didn't speak any Spanish, that gays that lisp and are hairdressers are always only children, that in order for coke not to cause impotence you have to take it with whiskey, that he had a son in Chivacoa and the kid had asked for a Wii (How the fuck do kids in Chivacoa find out about something like a Wii?), that that town offers kids nothing and is horrible, that only Nirgua surpasses it and only then because it's a nest of retired hitmen. "Let's see if you know, princess: What do they call people from Chivacoa?"

Andreína discovered that it wasn't a rhetorical question, that her dance partner (Ernesto, was how he'd introduced himself) was waiting for an answer. Seeing her hesitate, he said, disappointed, "I shouldn't give you the present I have for you, but I'm going to give it to you anyway. Do you know why?"

"A present? No," Andreína said, feeling that the beers, the dancing, the situation, were drugging her more than her daily dose of bewilderment. "Why?"

"Because you're really cool. You ask a girl to dance at a place like this and they always look at you from head to toe. But not you, you danced with a stranger. And did anything bad happen? No. What happened is that the stranger is going to give you a present. And he's going to give you the present even though you don't know what to call his son who was born in Chivacoa." He paused, as if looking for the precise order of his words. "You and your friends have five minutes to get out of here. We came to rob this place. What happened is that I got the urge to dance while we waited for the car. And you're a good girl and the car came, so we're going to get down to business. Five minutes. Do you like your present?"

"You're fucking with me," Andreína said with unaccustomed aplomb.

"I'm fucking with you?" the guy repeated, imitating her voice and raising his eyebrows, his face grave. "Move your hand down a hair to see if I'm fucking with you."

Andreína slid her hand down his back over the smooth surface of his jacket, and bumped against a hard object embedded in the waistband of his pants. She snatched her hand back as if it had been electrocuted.

"Shhhhh, it's okay, and it's a present not an open-air dance."

"But, why are you going to do it, though?"

"Look honey, the only question is, do you want the present or not? If you want it, we'll finish this dance, you'll pay your tab, and get out of here. It's the present that girls get who don't give the stink eye to guys who want to dance for a minute."

When she got back to the group, the expression on her face was enough for the words "Let's go" to convince the rest of them to ask for the check and leave a few bills on the table without asking questions. They understood without understanding, in the middle of their own bewilderment. While they walked to the exit, the guy, who explained something to his friends at the table, went after them and, after opening the door, said, "They can go" to a gorilla who was smoking outside.

"This guy's a true gentleman," the gorilla said, throwing his cigarette on the ground and pulling a gun that made a shuddering metallic sound when it was cocked quickly.

The gentleman, turning his back on the street, did the same with a huge gun that he pulled from under his jacket.

"*Chivacoense*, princess, my boy is *Chivacoense*," he said to Andreína when she passed by him, at the same time he shot a quick look around the silent street.

"Let's do this, dude," the other one said, "the genre for tonight's movie is action."

And they pushed the door forcefully.

While the group tried to convince their legs to hold out until they got to the car, they were able to hear the attackers' violent insults and orders through the glass as if coming from the horns of cars a long way off.

"Don't anyone try to get smart," Andreína heard as if in a movie in slow motion clearly recognizing the timbre of her dance partner's voice.

WHEN THE DEVIL CALLS HIM TO THE STAGE

for Gustavo

Tyrants have always been ambitious and narcissistic. To mention a form of ambition that's fairly well known, the ones of yesteryear projected it by building works of urbanization of fifty blocks and more than a hundred apartments each.

During the initial years the neighbors could go to the office of the Labor Pool and request the services of a plumber, for example, which was free.

Don't think that paternalism is an Adeco[17] invention.

Amelia didn't only arrive late to these stories, but she saw herself taken further and further away from them every day that she'd lived in block 40 of that labyrinth called 23 de Enero. She's seen or heard them so many times she knows all the stories by heart. She was there when they started to turn off the elevators at ten pm to try to counteract the wave of rapes of the women in the building. She's seen the different wars for control of the block. She knows that that city of almost fifty blocks (not counting the small ones) and who knows how many neighborhoods is an independent republic where the police refuse to go. She's been woken up in the mornings by the groans of huge men pleading for their lives. And she's heard the explosions that silenced those pleas. She's seen how the different collectives that support the government fortify themselves with armor, and she knows that the Great Final War looms between the two factions.

She's seen the consequences of a *Carnaval* with bullets. She also saw a man named Alberto enter her life whistling, and leave it the same way a few years later. They say he moved in with another woman not far from there, and although she claims it doesn't bother her, when Albertico, who's twenty now, walks down the hall whistling, she feels a tension she can't control.

Amelia doesn't worry about the criminals on the block, nor

---

[17] Acción Democratica: the political party in power before Hugo Chávez took over.

the specter of Alberto, nor the politics. It doesn't matter to her that the same lazy people as always say that this is now a "socialist community." Like thousands of her neighbors, she just knows that her day starts at five am, that she works in a business in Boleíta, and when the Metro lets her off, there in Agua Salud, when the clock strikes six pm (exactly), she'd better still have the energy to grab the bus that will take her to the block. She knows that Albertico is a quiet kid, that he has a girlfriend and he works, and she's carried it all with a titanic effort. What for? Don't even bother asking, with how chewed up she feels each night when she puts her head on her pillow.

El Bemba also grew up on the block. She's known him since he was called Joseíto and was ten years younger than she. She saw him go to school until about fourth grade and saw him getting lost little by little. He was always big for his age. Just as tyrants are ambitious and narcissistic, his legend has been carved out by his dozens of cadavers. It's been said, number 23 is an independent republic. And now a socialist one. The police go up (in the morning, of course) to pick up the bodies, ask questions to keep up appearances, and then leave in a hurry. Until the next body.

The Devil is wise in that when he invites men to the house of Power, he leaves the door to their ruin unlocked. It's a house so small that only one resident fits at a time. As you'd expect, sooner or later they all open the door, certain that what lies before them isn't the abyss (if they saw the long line of people who aspire to that seat behind them, they'd be wise, and not powerful).

The survival instinct is a gift that atrophies if it isn't used. But the powerful are so filled with pride that they get to the scandalous point of feeling disdain for it. Just like all powerful people, El Bemba had been sent on vacation a long time ago. He blindly trusted his friends, Beretta and Luger. They never failed him.

They tell the story about when he would light the enormous cigars that he smoked, and never knew exactly what was in them, no one dared to look him in the eye. People who ignored that advice paid for their insolence with their outline on the sidewalk. That's to say, all prudent men who witnessed his rituals, with his two pistols in the waistband of his pants, wisely reined in their testosterone.

It's not too much to ask to lower your gaze a few meters in the presence of Death.

The next morning they'd comfort each other when they met up at the stop. *Did you see it? That cigar was huge, wasn't it? The whites of his eyes are yellow. They say that asshole beats his own mother. Those are two huge guns... When the fuck is someone going to have the balls to shoot that asshole?*

His mother added to that prayer, in her own way. "God, when are you going to take him?" she pleaded piously.

Only the Devil could be so perverse as to whisper in the powerful man's ear on every occasion, "What good is power if you're not going to use it?" (Which is his way of saying, "There's the door. Open it!") Anyway, it wasn't too late in the day when "the girl" happened. She was sixteen years old and was as beautiful, simple, fresh, and as desirable as a sixteen-year-old could be. Like all genuine matters of destiny, it couldn't even be said to have been something personal. That graceful volume in movement was the doorknob El Bemba turned. Don't be afraid, worse things happen every day between alleys and elevators. He simply didn't repress the impulse to weigh that delectable teenage ass.

As the story goes, the girl got home crying and without adding or removing a comma, she told Albertico, her boyfriend, what had just happened. While a chill ran through his body, Albertico retired to his house with a taciturn expression and deliberated for a long time in silence before an imaginary fork in the road.

They say it was midnight when they heard one, two, three shots from a revolver, and then a hail of automatic fire, accompanied by a scream that was so wretched, it scared the neighbors more than the shots themselves. They say that Albertico walked directly and serenely up to El Bemba paying no attention to his fierce expression and drew a .38 that someone had happily lent him when he knew what it was going to be used for. They say that just with the first shot, which hit him in the shoulder, El Bemba knew what was happening, and that he died with a stupid expression of perplexity, watching the kid approaching him and shooting. That Albertico, still shaking, took the two pistols and felt something so magnificent in his body that if he hadn't screamed at the top of his lungs, emptying both clips into the air, he would have died of terror in that instant.

The happiness people felt was ephemeral. They say the Devil never rests. Now he whispers in El Albertico's ear, who left his girlfriend a while ago: "What's the point of having power if you're not going to use it?"

Some other kid, one of those whose mothers pick him up early, will obediently take the mantle when the Devil calls him to the stage.

HER PERSONAL BOOK OF SAINTS

for my dear friend Edmundo
for Yadira Pérez

"oh, Death, come quietly, like you usually come: on an arrow..."

For some people, thinking about a journey across the earth is a virtue. For the vast majority, not fully understanding what makes the world go round is an unarguable solace. A bargain. Stumbling disoriented amongst the tumult, like recently abandoned dogs, winds up being the best sedative to walk along this long street we call life.

That wasn't Marielba's case.

She was brought up with the story of a personal epic made up of fragments of memories, exaggerations and superlatives stemming from the memory of her elderly parents. She was going to be an elective caesarian and her mother (with an at-risk pregnancy at 45 years old) induced labor. A release of the placenta. A baby drowning in blood. The classic question, "The mother or the daughter?" The routine caesarian that became an emergency, including general anesthetic. The trite story of the sudden trip to a beach with an incredibly blue sea. In another version it was a reedbed. In another, the house from her earliest childhood. What never changed was that in that placid solitude, her mother heard a voice that called her by name and ordered her to return.

"I was going to have a daughter," she remembered when she returned. "And the girl?" she asked, scared.

"You're going to have to call her Marielba," said the voice that brought her back, "because I worked hard to make sure you two stayed with us. The girl took a long time to breathe, so we can expect complications."

The complications were verified by a childhood and

adolescence worn out with a hyper-sensitive switch. With a perennial loose wire in her circuit. Convulsions, epilepsy, prima donna, phenobarbital, Carbamazepine, first aid, side effects, emergency numbers written in her lunchbox, on a little card around her neck, on her backpack, they were the words that unraveled (or sewed up) the mystery of life for her.

If it was difficult for her, for her elderly parents the anxiety had a precise drawing of lines silhouetted with a scalpel. They watched their only daughter grow up with the same demands as other girls her age: liberty and autonomy. But their daughter frequently reset her registry of operations without warning. And year after year they cooked their anguish with ingredients that arrived daily from the street and from newspaper headlines: an abundance of libidinousness, cowardice, social erosion, senseless violence, misogyny, a culture of sexist jokes and conspiratorial silence. And a girl who could have a fit of convulsions far from home, winding up at the mercy of a city that, as far as her parents were concerned, could only offer malice.

For Marielba, therefore lucidity consisted of waiting for the day she had been preparing for her whole life. For her resigned elderly parents, tragedy was a lottery that grazed their daughter's name in every unexpected phone call, in an odd footfall outside the front door of the house, in one of her parties, in a suspicious car.

In those cold breezes that brewed during January evenings.

It was knowing that the check with which they bought the happiness of getting their loved ones together at dinnertime would be paid for every day with the redoubled anguish of waiting for her. And every night the oppression grew with every minute Marielba took to arrive. And every morning, upon waking, they asked themselves if they could count on the same good luck as the day before.

Because it was a feat to be able to make the daily commute from the office to the house. In a city like Caracas it was easy to get an idea of the size of Marielba's parents' heroic feat of taking her to the other shore, that of adulthood, after seeing her leave and return home every day for so many years.

And she learned to grow within the rules of her own game. Living in that equilibrium of avoiding excesses, but also the disproportionate control of those excesses to avoid burning the anemic plate of her fuse's wire. She also learned that the mind is a giant box stuffed with all kinds of sensations, and that so-called "reality" is perhaps the greatest statistic in the appreciation of those sensations.

She knew she found herself on the verge of an attack when, suddenly and without warning, the most imperceptible perceptions could be picked up by her senses. An intense fuchsia fringe around her field of vision. Or seeing the street in black and white for a moment. Or the sudden smell of coffee. Or the unquestionable flavor of pizza with anchovies... And then the short circuit. And the Nothing. And being reborn in this world recuperating her place in it and her coordination in fragments.

And she turned 25 with her almost-normal life. And she wound up getting accustomed to living and waiting for The Big Attack, that, according to her parents, would leave her at the mercy of evil, in a city that gets less noble and more godless every day. More damned. And so, she had scares and minor attacks without major complications. And she had a car and a she had a boyfriend and she had lots of loving sex and one day she had some news to give to her parents.

She wanted to celebrate the news like a normal Caracan girl, eating dinner and drinking with her friends, escaping from her overprotective boyfriend who had liberated her from her overprotective parents. The next day they had breakfast with those parents to give them the news.

It was close to ten when she got back home in her car. He had decided to lower the pressure on the control. She had decided to dismantle her foundational myths little by little. That night she decided she'd lose herself in the universe of normal girls who drink and celebrate, who get pregnant and dream irreverently of the future, in spite of a city that knows how to attack all the senses, without demonstrating a preference for any of them.

She crossed the dark solitude of Los Caobos, Andrés Bello Avenue, Maripérez, looking for the Cota Mil, when an intense smell of oranges invaded the car's interior. She was so relaxed it took her a few seconds to understand. When she finally caught on, there wasn't much room for the maneuvers she grew up practicing. Before the haze took over her field of vision, she glimpsed the lights of a lonely gas station and was able to get the car there, accelerating and swerving recklessly, finally coming to a stop in front of an A/C unit.

It should come on strong, because the smell of oranges was so terrifyingly precise. She opened the door for some air and felt the cold silence of the night. The place was deserted. Almost without seeing, she recognized the figure of a man exiting the gas station's bathroom. A man walked toward her in the darkness that was eating everything.

In the cracks of volition that her instinct was able to put up a fight with, she wanted to dissuade him by warning that her dad worked at the ministry...that her boyfriend was a cop. She wanted to appeal to whatever strategy that girls employ to hold evil at bay with innocent blackmail, but she could barely take a step out of the car before collapsing, while she heard, far away, a man's voice say, "What's wrong, sweetheart?"

Her head buzzed in the dark hole of the blackout knowing that her parents had trained her throughout her whole life for this moment. That in her religion she was the lamb of some god. That her sacrifice should have some kind of purpose, dark or light.

She woke up.

There was the strong smell of gasoline and motor oil. Like usual in these cases, she wasn't entirely clear who she was or where she was in the world. She discovered the smell came from a rag that was holding her head like a pillow. She saw a poorly lit room full of tires. She remembered where she was when she heard the same voice from before the blackout saying, "That didn't look good at all, hon."

Immediately, indignant, she patted her body and found she was still dressed. Full of grease, but completely dressed. Her hatred gave way to confusion.

"I brought you in here because there were some strange guys driving around in a car." Her eyes focused and she saw a dark-skinned man of twentysomething years old, wearing mechanic's overalls that couldn't accommodate even one more stain. So she allowed herself to let go of the tears that were suffocating her.

"Thank you," was all she could say.

"You have a boyfriend?" the guy asked, leaning his head forward with a smile and a fake raised eyebrow.

"I'm pregnant," she said, sweetly.

"You're going to have to call him Jacson," the guy said, "because if that had happened to you on the street you wouldn't be telling anyone about it."

"And if it's a girl? Jacsan?" Marielba asked, smiling and feeling like an old cycle was coming to an end.

"Nooo, come on!" said the guy solemnly, "If it's a girl you'll call her Micaela, after my mother."

Fear

every man...every man has to go through hell to reach paradise
Max Cady

All things considered, in Caracas people live the way they do in any other city in the world.

People live, they grow, they search, they find, like they do everywhere. They get lost, they win, they fall in love, and their hearts break just like in any other city in the world. In Caracas you can feel the surprise of a first kiss, of a farewell concert, of your first bed, of an unexpected rekindled flame, of your last love. Just like in any other city. It could be said that, just like in any other city in the world, the people in Caracas could aspire to being happy.

If it weren't for the fear.

Orlandito was afraid of being different from the friends he drank beer with in the evenings, which is why he was careful to only get involved in the indispensable things at the job he got as a messenger at an IT institute. And for the same reason, he declined the free courses they offered, with the whole package that the owner called "opportunities for advancement."

He was afraid of her, of her sure ways, of her interest in him, of her husband who looked at him suspiciously every time he went to the office... He didn't know it, but what he was really afraid of was that one day she would get bored and he would wind up in the middle of nowhere, belonging nowhere, not to her, not to his friends.

For fear that his friends would think that he was starting to feel superior with his new job, he didn't only refuse the courses and the opportunities, but he also, between beers, started to brag out of spite, saying that his boss left the register "paying out." It didn't take long for him to fear that they would think he was weak, and in order to have stories to tell, he started to commit little crimes.

That is to say, that out of fear, he graduated from tall tales to fat stacks.

His boss had taken such a liking to him that she was willing to let slide those little crimes she found when squaring up the register, but one day the fear cut through his sleep like the clean slice of a razor blade and he woke up sweating. Two, three nights with nightmares and Orlandito as the protagonist under a ski mask, made him tell her husband everything. He knew that that would slam the door on his employment, but it would let him sleep at night.

In any event, the fear would present him with new nightmares.

Orlandito could agree that he took advantage and was justifiably fired. But his friends didn't see it the same way. Principally his brother-in-law. And they started to bombard him with "irrefutable" arguments that demonstrated how wrong he was. Those arguments included the notorious disadvantage at which he found himself after having taken such good care of that business for his boss and now being left out to dry.

So, for fear of what they'd think of him, one night when they were drinking, he started first to listen to, and then to entertain his brother-in-law's plan. Which is to say, they put him in the pan and started to cook his ear in an anise sauce without him even realizing it.

A motorcycle, a revolver, and aggression were his amulet against the fear.

Orlandito's information and his brother-in-law's experience created a key that opened any lock. "Everything will be fine," he repeated over and over on Thursday night, in order to be able to sleep.

That Friday, after having gone through the dance many times, they were on the bike on their way to meet their well-known victim. Well-known for some time, victim from the instant that they pointed the cold, metal omen at her, together with the precise instruction that she lower the glass to calmly hand over the envelope, which Orlandito's brother-in-law christened the "severance package."

But the fear always shows up where it hasn't been invited.

They more or less expected the typical risks of this kind of thing. But for the one who had no experience, it was a minefield. It was like crossing the border of a war-torn country. Trying a squeeze play in the ninth with two outs against all odds. Walking through an unfamiliar alley at dawn. In real time things have another rhythm. More people and more cars on the street than what he expected. A pair of police motorcycles that passed them on their way to the place. The sudden certainty that everyone wearing a jacket, or glasses, or a hat, or a bag, was a cop waiting for him to screw up.

In short, the fear. Fear in its presentation is elemental.

The result? At the moment of truth, he hesitated for an instant. One of those instants that have, throughout time, been the material authors of so many people's tragedy or lottery. The consequence? What had been a well-studied choreography became an improvised freestyle dance. The epilogue? Seeing how a little job where nothing could go wrong fell apart, started to dole out fear in equal parts to everyone who was destined to play a role.

The woman saw her nightmares incarnate (her ovaries told her that the one with the hood was Orlandito, because who else?) and, against all common sense, she couldn't contain her scream while she put her foot on the accelerator and drove the car into a business five meters away.

All the windows of the shops, offices, and cars in the area started to produce an uneasiness in Orlandito's back. That made him follow the trajectory of the vehicle with the barrel of the gun and pull the trigger. The stray bullet grazed the thigh of a man walking along the sidewalk with his family at that very moment, and not considering the fortune he'd had (that is to say, that he made the list of the instants that result in fortune and not tragedy), started to panic seeing his leg suddenly bleeding, so he took refuge in a Chinese restaurant that was next door, in which an old Chinese woman folded tablecloths alone. The old woman understood very little Spanish and all she wanted was for that strange story of screams and bleeding legs and the racket on the sidewalk to get out of her shop. She didn't want any problems. That's to say, she didn't want to resurrect her fears that the authorities would come asking for identifying documents that didn't exist.

The man couldn't explain what had happened. He only knew that his wife and daughter were apparently fine and that a car crashed into a wall a few steps away from them and they heard a shot that must have had something to do with his bleeding leg. That's why the man's wife let her fear escape and started to insult the old woman, calling her "heartless." That, of course, scared the woman even more, and she brandished a large fork against her aggressors.

They also felt the fear in the business next door when they heard the bang that made the walls shake and, in the middle of the dust, they saw the front of a car emerge like a metal whale from the depths of the ocean. Orlandito and his brother-in-law took advantage of the confusion and disappeared, leaving everyone behind with their fear. Fear of the noise, of winding up injured without knowing why, of not understanding what people are saying, of the police who arrived suspecting everyone, of being accused of something they didn't do, of being confused with the ones that did do it, of the daily lottery, of arriving late or having arrived far too early...

And with all that scrambled fear, the cops' fear woke up, which was always one of the most dangerous, because it dressed up like others with a "respectable" air, but was more primitive. And it was well known that when the fear took over their bodies, the little sense they had was given to fall away.

And suddenly, like an avalanche, like a storm announcing

itself, it withdrew and came back until at last it exploded and expanded across the whole city, like an entity with a life of its own, like a gigantic version of Pacman, devouring any living organism in order to take control, mutating and changing itself to make itself stronger. Feeding. Like a virus.

And it was the police raising the alarm on the radio, and it was people reading on Twitter about an attack taking place with people injured, and it was the roadblocks that stopped every motorcyclist returning from work, and it was the ones that avoided them and threatened the cars that crossed their paths, and it was people calling their loved ones who they thought may be in that area... And it was the fear surviving at the cost of transforming itself into all its familiar forms: abuse, arbitrariness, violence, indolence, mistrust, hatred... And love is obliging, but if there's one person it can't live with, it's with fear. And it hid. And it relinquished the city to a pack of hounds.

Until further notice.

In Caracas it would all be fine, in spite of everything. If it weren't for the fear.

Héctor Torres

Caracas muerde:
crónicas de una guerra no declarada

7ientos

Caracas muerde: crónicas de una guerra no declarada
© del texto original: Héctor Torres
© de la edición: Siete Vientos, Inc.

Dirección editorial y cordinación de diseño
Daniel Parra Álvarez y Kolin Jordan

Cuidado de la edición
Anais Ávila, Marco Antonio Escalante y Miguel Jiménez

Diseño de portada
José Manuel Vargas

Diseño y diagramación de páginas interiores
José Gregorio Bello

Fotografía del autor
Nohely Ron

© 2021
Siete Vientos, Inc.
Chicago, Illinois 60622

e-mail: info@sietevientos.com
www.sietevientos.com

Número de control en el catálogo de la Biblioteca de Congreso : 2020945014

ISBN: 978-0-9831392-8-7
Impreso en los Estados Unidos de América

$24.95
ISBN 978-0-9831392-8-7
52495>

9 780983 139287

"Let me introduce you to Caracas, embassy of hell,
land of murderers and shattas
Undred people die every week, we nuh live in war,
country is full of freaks
We have more death than Pakistan,
Libano, Kosovo, Vietnam and Afganistan..."
Onechot / Rotten Town

"E a cidade, que tem braços abertos num cartão postal,
Com os punhos fechados na vida real
E nega oportunidades, mostra a face dura do mal."
Paralamas Do Sucesso / Alagados

A Rosa Carrillo, que ignoraba las obsesiones con las que alimentaba a aquel niño melancólico cuando le leía cuentos de Wilde antes de dormir.

Agradecimientos:

*A Orlando Verde, que me iluminó sobre
el título que debía llevar el volumen.*

*A Oscar Marcano y a Ángel Alayón, cuyas precisiones me ayudaron
a alcanzar el registro preciso para estos textos.*

*A Lennis Rojas, mi primera lectora, quien nunca deja pasar sus
honestas observaciones sobre posibles desaciertos.*

Índice

Un malandro caraqueño

a Daniel Prat y a Vicente Ulive

But I'm tryin', Ringo. I'm tryin' real hard to be the shepherd
Jules Winnfield

La anécdota de seguro es apócrifa. Pero la realidad es maravillosa por beber del lago de lo posible. Según eso, en el guión original de la película *Dominó* (Tony Scott, 2005), el personaje *Choco* era un criminal mexicano. El actor venezolano Edgar Ramírez, al hacer el casting, propuso al director que lo cambiase por un malandro caraqueño. A cada negativa del director le seguía una insistencia del actor. Ese pulso duró hasta que el primero, sólo para despachar el asunto, aceptó hacer una prueba.

Ramírez se metió en su personaje y salió a escena con una escopeta en una mano, bailando una música invisible mientras caminaba hacia un rehén imaginario amarrado en el piso y, luego de patearlo con desdén, le dijo:

¡Párate, mamagüevo!

El modo de andar, de empuñar el arma, la cruel patada... pero, sobre todo, la música de esas palabras que no entendía, debieron producir una certeza en la mente de Scott: Para que *Choco* exprese la necesaria violencia y la desdeñosa maldad que exigía el personaje, debía ser eso que estaba viendo.

Es decir, un malandro caraqueño.

Caracas carece de una disposición que la haga comprensible. La única lógica que atiende es la de las leyendas urbanas, intuiciones y prejuicios de sus habitantes. Ocupando un mismo valle, viven en ciudades superpuestas que no se comunican entre sí.

Eduardo es habitante de una de esas Caracas. Lejos del pistolero de *Dominó* y de los velorios en el barrio (las funerarias no aceptan *tiroteados*), vive en su Caracas Plaza Las Américas

y Galerías Los Naranjos. Una Caracas al sureste del Guaire, de colinas urbanizadas en las que es menester tener carro para trasladarse, atrincherada tras sus rejas, casetas de vigilancia, circuitos cerrados y un profundo recelo para con lo desconocido. Una Caracas que vive su ilusión de normalidad al interior de sus confortables ghettos.

Pero él aprendió a extender los límites de su Caracas, aplicando la ecuación de *a menores prejuicios mayores libertades*. Gracias a eso compra la aguja para su viejo tocadiscos en Tele Cuba, en Catia. Y se toma unas cervezas en La Candelaria. Y se adentra con confianza en los predios de la Baralt.

Tiene una ciudad más grande que la de muchos de sus vecinos.

Pero aún así se le fue haciendo asfixiante. Un día cayó en cuenta de eso y de la magnitud del mapa del exilio entre sus afectos. Por eso, y por no tener nada que cuidar en su Caracas atrincherada, trazó un itinerario para reencontrarse con la parte de su mundo que renunció a un país que desayuna, almuerza y cena con dos temas invariables: los delirios de un pequeño emperador y la violencia circundante.

Uno de sus primeros destinos fue Barbés, un barrio al norte de París que podría parecerse a Catia, si Catia fuese limpia y no flotase sobre un colchón de pólvora. Sus anfitriones le alertaron acerca de la zona y sus habitantes, sobre la dificultad para comprender el *verlán* (el francés malandro) y le sugirieron, por último, que ajustara su comprensión del peligro a ese paisaje.

Esto último se lo repetían a diario durante esa primera semana, cada vez que lo veían llegar de sus largas caminatas en la noche.

Sigue menospreciando el peligro y un día te vas a ganar una cuchillada, le advirtieron.

Una noche caminaba por el andén de la línea 2 cuando vio a dos muchachos que venían hacia él con fingida distracción. Tenían fenotipos árabes y unos veinte años. El aspecto de Eduardo, que pasa desapercibido en las calles de Caurimare, encajaba en el tipo de los *conejos* que aquellos *trabajaban*

rutinariamente. Pero él, sobreviviente de una ciudad en guerra, les adivinó la intención desde que uno de ellos lo vio y pensó en someter su elección a la opinión del otro.

El *modus operandi* es universal. Caminaban con agilidad, haciendo ruido en dirección a él. Lo hacían ocupando tal espacio de su trayectoria que resultara imposible evadirlos. Caminaban, se gritaban en su idioma, se golpeaban y lo observaban de cuando en cuando. Eduardo sopesó las probabilidades de salir bien librado de la trampa. Un paso mal calculado de uno de ellos le abrió esa mínima probabilidad en forma de un boquete por el que *pasó por un lado* y no *entre* ellos. Al darse cuenta del error y de la velocidad del conejo, activaron el plan de contingencia. En medio de su parodia de juego, el de la esquina empujó al otro hacia Eduardo, que sacó el codo y esperó al costillar que venía hacia él. La repentina víctima, entre sorprendida e indignada, comenzó a gritarle en una incomprensible variante de francés, como última opción para arrinconarlo.

La cultura es lo que se olvida, según dicen. Será por eso que el lector de Carver y de Bukowski ya leyó a Poe y a Chejov, pero no lo recuerda. Y el "lector" de *Pulp fiction* ya "leyó" a Carver y a Bukowski sin haberse enterado.

Y por esos tercos hilos del miedo y la violencia, Eduardo, que es de esa Caracas de una apacible urbanización al sur del río, también es hijo de esa ciudad de cincuenta cadáveres apilados en la morgue de Bello Monte cada fin de semana. Y medio hermano de asesinos como Los Capri, que filmaban con los celulares sus ejecuciones para subirlas a la red. Y heredero de este fratricidio cotidiano en el que unas veces se hace de Caín y otras de Abel, bajo un semáforo, dentro del banco, en la cola del estacionamiento. Caín y Abel, o testigo indolente del cadáver que recogieron a las 24 horas de haber sido asesinado. Y autor de las sádicas escenas en las que mataba mentalmente a su jefe, a su vecino, al motorizado que vio robando a una chica en la autopista, al que toca corneta para avisar que llegó. Testigo, ejecutor y cómplice (aunque sea por omisión) de toda esa violencia. Hasta de la pequeña fechoría de *comerse una luz*.

Un ADN salvaje que quiere civilizarse.

Será entonces por todo eso que, acosado en el metro de Paris por dos dueños de aquellas calles, sin brújula ni mapa de las rutas de escape, viendo asomarse del abrigo la mano con el cuchillo que le habían advertido saldría en cualquier momento, gritó con ese acento que no es caribeño ni andino mientras, como si lo hubiese ensayado, estiraba un brazo con el que los apuntó con una pistola imaginaria, poseído por aquella ciudad que nunca estará tan lejos como para no seguir mordiendo:

¿Que pasó de qué, mamagüevo? ¡Ponte pilas!

Es liberador decir palabrotas a todo pulmón, sin la condena del pudor, en un andén lleno de gente que percibe la intención pero no el significado. Y descubrir que ser caraqueño es ser caribeño. Y ser caribeño es, de alguna remota manera, ser africano. Y que esos fonemas de sílabas secas pero envueltas en una entonación ancestral que canta y amenaza y sobrevive y se aterra, esos que hechizaron a Scott, disuadieron a dos rateritos del metro de París de confundir a un perro (casero, pero curtido en las calles más duras del orbe), con un distraído conejo.

¿Tú eres loco? Esos bichos son malos, Eduardo. No tienes ni idea, dijo uno de sus anfitriones cuando les contó la anécdota.

Loco no, caraqueño. ¿Con qué cara cuento allá que me atracaron en París?, respondió.

Presentimientos

Y también me dijo, no te mortifiques
que yo le envío mis avispas pa' que lo piquen
Juan Luis Guerra

Nadie sabe cómo fue a parar allá. Una madrugada Herminia y sus hijas despertaron con sus ladridos y, al asomarse al balcón, lo vieron. Había quedado atrapado del otro lado de los rieles, en las vías superficiales del Metro, a unas dos cuadras de la estación. Desde donde se encontraba, podía ver los eventuales carros y los viandantes al otro lado de la cerca metálica, pero el instinto le decía que no intentara cruzar el campo minado de los rieles. Caminaba de un lado al otro y ladraba por tandas, cada vez que el hambre, la sed o el miedo le enterraban un poco más el cuchillo de su desconsuelo.

Cinco días después, cada vez más débil y desorientado, seguía en sus periódicas rutinas de ladrar y caminar de un lado al otro, moviendo ansioso la cola, sin que autoridad alguna atendiera los llamados de Herminia que, madre al fin, suplicaba por su rescate.

Estamos resolviendo, le respondían en *automatic mode*.

El perrito se moría poco a poco, frente a los miles de carros y personas que, a toda hora, formaban parte de ese río indiferente que en última instancia le regalaba al paso una breve mirada de curiosidad.

¿Quieren una metáfora más gráfica de lo duro que es estar solo en la ciudad?

Aunque tener quien vele por ti tampoco es que sea garantía de nada. Las balas también tropiezan con cuerpos de niños cuyos padres apenas les quitan la vista de encima un par de segundos. Y entran en casas sin ser invitadas. Por eso, el que se reúne con los suyos cada noche tiene derecho a celebrar la vida.

Lástima por quienes no aprecian su larga fortuna.

Herminia sí sabe que reunirse con sus hijas es celebrar, pero también sabe que hasta ese momento, en esta ciudad, en este país, todo es incertidumbre. No se sosegaba hasta abrazar a sus

hijas, a las seis de la tarde (si los jefes no se ponían ocurrentes a última hora y el Metro se portaba bien), cada día, luego de buscarlas al colegio, almorzar con ellas, dejarlas solas y volver al trabajo en un despacho de abogados, hasta esa hora en que la vida recuperaba color y sonido.

Las niñas sabían de memoria las advertencias y las repetían sin despegar la vista del televisor. "No le abrimos la puerta a nadie", "no estamos solas, mi mamá está en el baño".

Y como si domar los pensamientos masoquistas que bebían de esa pesadilla diaria que la prensa reflejaba no fuese un trabajo a tiempo completo, la niña mayor le comentó días atrás que habían estado llamando a casa, durante la tarde, y colgaban sin hablar.

Tres días después del mismo episodio incluido en el recuento de todas las noches, agobiada de tanta realidad y tantos oscuros presentimientos, se fue al Sambil al salir del trabajo y le compró un celular:

No atiendas más el teléfono de la casa. Si soy yo, te llamo por aquí, ¿está claro?

El infierno adquirió entonces forma de SMS con pésima ortografía:

"Mami, sigen yamando, qe ago?"

Herminia, leyendo el SMS, no podía dejar de pensar en lo solo que es el edificio durante el día[1]. Pero qué hacer si la vida es pagar un alquiler para cocinar, dormir y guardar los niños durante la tarde.

Algunos afortunados hasta tienen con quién tener sexo ocasionalmente.

Al cuarto día las llevó a la casa como siempre y, cuando iba de vuelta al trabajo, algo sin palabras le dijo que hacía mal en volver a salir. Pero ¿En qué artículo de la Ley del Trabajo está establecido el "presentimiento" como falta laboral justificada?

Y se fue más apesadumbrada que de costumbre.

No eran las tres y media cuando recibió el SMS. Al ver

---

[1] Según cifras del INE, en 2009 ocurrieron 395.754 delitos en casas y apartamentos en todo el país.

el nombre, entendió que los presentimientos se estaban corporizando de a poquito. Y le reventarían en la cara si no hacía algo. En ese momento la muchacha de Contabilidad le estaba contando cómo unos atracadores exigieron todos los Blackberry presentes en un cine, localizándolos por *bluetooth*.

No se equivocó. Leyó: "Mami, ai unos ombres afuera y estan tocando".

Un relámpago helado le recorrió el cuerpo. Eso que era un temor ubicuo adquirió apremiante solidez. Un fogonazo venido de la sangre hizo que agarrara su cartera y, sin informar a nadie, cogiera la calle, viendo una y otra vez la maldita escena del pasillo solitario, con apartamentos vecinos tan ausentes de adultos como el de ella, con hombres trabajando fríamente para entrar en su casa, previamente radiografiada con maña y maldad.

Las piernas no se portaban a la altura. Ni la cabeza. Ni los pulmones. Nada en su cuerpo estaba cooperando con la colosal tarea de llevarla, nueve estaciones y dos cuadras, de vuelta a casa. Sobre todo no la cabeza, que se solazaba en ver fotogramas con puertas fracturadas, un apartamento en desorden, niñas temblando en un closet o bajo una cama.

Un dolor le aplastaba la espina dorsal y la obligaba a contener gemidos.

Cuando el tren llegó al fin a Colegio de Ingenieros, se subió al vagón un hombre flaco, seco, con un penetrante olor cáustico a tono con su aspecto. Llevaba una especie de camisón blanco largo con bordes azules, sandalias y un gorrito. Una pelambre larga y gris, que apenas dejaba ver unos pómulos y una nariz filosos, hacía de barba. Caminó lento, con la mirada desterrada de su cuerpo, y se colocó justo a su lado. Al rato comenzó a entonar unos cánticos que sonaban a lenguas muertas siglos atrás, dejando flotar las manos en el aire, como si fuese un ciego a punto de tocar algo. Una piedra helada le caminó a Herminia por los costados.

Al cabo de un rato, se detuvo e inclinando la cabeza ligeramente hacia ella le dijo, con una sonrisa triste de dientes

verdosos:

La lucha fue dura, pero el Maestro tiene más poder. Hemos vencido.

Y sin decir más se bajó en la siguiente estación.

Lejos de sentirse mejor, Herminia se inquietó más. No se inquietó: se arrechó. Le arrechó la absurda escena en que ese extraño le dirigiera la palabra. Le arrechó esta estúpida ciudad y el hecho de no ser hombre y no llevar una pistola en el pantalón. Se arrechó con el tiempo que se pone pastoso cuando le conviene y con el hecho de no poder volar, desmaterializarse, pulverizar enemigos con su mente.

Llegó a su estación, atravesó las dos cuadras de siempre y subió por la escalera los dos pisos de siempre. Hubiese dado su vida en ese instante por encontrar su reja cerrada, como siempre.

No fue necesario transar la vida. Aunque eso no aplacó el terror que la tenía dominada como una llave inglesa. Tenía que verlas, examinarlas, tocarlas enteras, intactas, sonrientes, inocentes. Cuando metió la llave, el corazón le dio un vuelco al notar que la cerradura tenía unos mordiscos como de un alicate o de otra herramienta.

Pero estaba cerrada. Ese viejo mecanismo que no sabía a quién agradecer su invención, había resistido heroicamente, cumpliendo con su deber. Y proclamaba con modesto orgullo que en su casa sólo estaban sus hijas.

(Y de verdad que los tipos lo intentaron todo. Hay días de mala leche y con eso no se puede. Todo estaba calculado y todo salió mal. Se les rompió una mecha, se les trabó un alicate de presión, bajaron unas viejas por las escaleras, les alertaron de unos policías en la esquina. Un trabajo de mierda que debieron abandonar.

Esta vaina tiene una protección muy arrecha, mi pana, dijo uno que creía en vainas, y decidieron abandonar un trabajo que parecía mandado a hacer.)

Al cerrar la puerta tras de sí, vio a las niñas sentadas en el

sofá, viendo televisión. Abrazarlas, sentir la alucinante suavidad de su piel y sus olores a leche tibia, una, y a madera fresca la otra, fue abrir las compuertas de un vendaval que la estaba acalambrando. Lloró, abrazándolas duro, desde el fondo de sus pulmones. Las niñas estaban desconcertadas. Pero muy pronto, y a falta de explicación, la mayor intentó zafarse para no perderse la película. La más pequeña, cuando pudo hablar, fue al grano:

Mami, ¿nos trajiste algo?

Sobre el estelar segundo veintiuno

Y dibujaron su muñequito e´ tiza en la acera
Desorden Público

Una moto sube por la principal de Macaracuay esquivando los carros del canal rápido[2]. Sobre ella, dos tipos viajan con sus trajes de invisibilidad: chaquetas, lentes oscuros y gorras. Es la segunda vez que pasan por la esquina del Centro Comercial, pero la gente no suele reparar en esos detalles.

Son las dos y cincuenta y cinco de la tarde de un viernes de quincena. La ciudad se siente como un globo lleno al que le siguen echando aire. La moto con los invisibles baja de nuevo y vuelve a subir. El parrillero putea. Las señas recibidas son vagas y hay mucha gente en la calle. Las tardes de los viernes de quincena se dan las mejores pescas, pero no es para cualquier pescador. "Hay que tener bolas", se ufanaba. Se supone que el pez (o, el pescao, como le dicen) ya debió haber salido del Centro Comercial. Descose la calle para armar en una misma persona las piezas sueltas recibidas por celular: gordito, moreno, alto, koala, franela azul y gorra de "los cerveceros de mibloque".

Ese Conejo no es serio ni cuando está trabajando, le grita al compañero.

De pronto, entre la masa de gente, vio todas-las-piezas-reunidas apurando el paso hacia la parada, midiendo al metrobús que se va acercando. La moto subió hasta la redoma y se lanzó en bajada esquivando carros y peatones, hasta detenerse delante del metrobús, que terminaba de estacionarse con su parsimonia de paquidermo cansado. El invisible que está de parrillero se baja y detecta al *pescao* a punto de subirse a la pecera. La cola estaba más o menos vacía. Estaba compuesta por: a) Una señora gorda, b) la víctima en cuestión, c) un viejo con aspecto de español y d) una muchacha morena con audífonos. Incorporándose a la

---

[2] Como ven, con sus ajustes de época, no ha perdido vigencia aquello de "Un bongo remonta el Arauca bordeando las barrancas de la margen derecha"

escena, un tipo cuarentón y una nenita de unos diez años corrían para alcanzar la cola.

El parrillero se lanzó directo sobre el objetivo. El que manejaba quedó sobre la moto, listo para arrancar. No hubo necesidad de palabras. Con una pistola en la mano cualquiera se pone a revisar a otro sin tener que dar explicaciones. Comenzó la escena que todo caraqueño tiene aprendida para cuando le toque vivirla.

Está en los genes, como parte del *kit* de supervivencia.

El tipo buscó directo en el koala, en el bolsillo trasero izquierdo del pantalón y en la media derecha del gordito. Tan abrumadora precisión le trajo a la mente de la víctima la cara del cajero, con sus dientes de conejo.

Coñuesumadre, maldito, sucio, murmuró para sí.

Todo se detuvo sin interrumpir el curso de esa escena. Todos miraban pero nadie estaba mirando. El viejo se encerró en su diario, la muchacha cerró los ojos para ver ese concierto de Oasis que salía de los audífonos, la señora clavó la mirada al piso con vehemencia y el cuarentón alcanzó a llegar a la parada y, al darse cuenta, abrazó a la niñita, tapándole la cara disimuladamente con las manos.

El resto del elenco hizo bien su rol de reparto. Todos (el conductor del metrobús, los pasajeros de los primeros asientos, la gente que caminaba por la acera) apuraron el paso, se volvieron ingrávidos, vaciaron de contenido sus pupilas, bordeando con sigilo el asunto.

Algo zumbaba en los oídos, alejando ese primer plano del resto de la escena, y sin embargo el rumor de la calle permanecía intacto en toda su composición: carros, cornetas, motos, sirenas, gente que sostenía remotas conversaciones... Todo seguía allí, en un murmullo pastoso que iba perdiendo gravedad. Todo ese furor comprimido de viernes de quincena encontró su desahogo y estalló en una suma de mínimos orgasmos personales. La presión bajó y los que entendieron se asustaron y celebraron en secreto no haber sido los poseedores del número de ese sorteo.

La escena se siguió espesando, congelando, perdiendo vida, hasta detenerse en un fotograma, que pudo ser la instantánea que acompañaría la crónica del fin del mundo para alguien.

El gordito obedeció dócil. Sintió un frío que le bloqueaba el audio. No sabía que tenía miedo pero sí sabía que ya no sentía rabia. No, por ahora. Sólo sentía ansiedad porque todo terminara pronto. El tipo se llevó el botín, y le quitó el celular y la gorra *Milwaukee Brewers* por la sola costumbre de *malandrear*, y caminó con aplomo en dirección a la moto.

Esa larga y repetida escena no duraría ni veinte segundos.

Y el tiempo cayó rodando sobre el estelar segundo veintiuno.

Resulta que el papá de la niñita era policía. La empujó hacia mí, que estaba delante de ellos, y yo la abracé duro porque sospeché lo que venía. Dio dos pasos a un lado y, con las piernas abiertas y las manos agarrando su arma, les gritó con fuerza un ¡Quietos! que, por supuesto, los tipos ni pendiente. Ahí mismito los dejó fríos. ¡Qué *heavy*!

Vamos, que no fue así. La verdad es que el atracador se devolvía a la moto cuando se llevó el susto de su vida al ver a dos municipales echarle el guante a su compinche y a otro par de policías, que esperaban delante del metrobús, apuntándole con sus armas. Por mí, que los cuelguen por la polla.

Usted no pudo haber visto nada porque apenas vio esa pistolota metió la cabeza en el periódico. La verdad es que el muchacho no estaba solo. Cuando el malandro se le acercó con la pistola en la mano, se le vino por detrás el amigo del muchacho y le puso una más grande en la nuca. El de la moto se fue sin esperar al compinche. Al hombre ese todavía le deben estar dando palos en la parada.

No, qué va. Yo los vi desde que llegaron. Se bajó el tipo con la pistola y calculé que el de la moto no estaría armado. Me entró una impotencia y, sin pensarlo, puse la palanca en *drive* y metí chola a fondo. Como el otro no esperaba ver al pana debajo de las ruedas, el gordito aprovechó y lo inmovilizó con una llave. Ahí mismo la gente se le tiró encima y le dieron hasta con paraguas y carteras.

Eran sabrosas todas las versiones. Todos, en su impotencia, se regalaron su fantasía de justicia, de redención ante tanto abuso.

Pero la vida no es una película y al segundo veintiuno el tipo se montó en la moto y arrancaron.

Apenas se perdieron de vista por la principal hacia abajo, el volumen de la escena comenzó a subirse gradualmente. La gente volvió a su ritmo, a respirar, a comentar y a preguntar necedades. ¿Cuánto te tumbaron, chamo? ¿Les viste la cara? ¿La gorra era original? ¿Te guardaste el dinero frente al cajero? ¿Esos reales eran tuyos?

El gordito los miraba como quien despierta en Pekín. Como podía mirarlos el perro que bajaba por la acera, ajeno a Caracas y sus miserias. En el barullo de preguntas, en el creciente rumor de vida vuelta a su ritmo, comienzan a desfilar por su cabeza las primeras conclusiones. Ve lejos, como si fuese un borroso pasado, la fiesta que tenía esa noche. Ve lejos las birras y los cuentos del mundial. Le preocupa llegar a la oficina sin los doce mil bolívares que le mandaron a sacar. Y sin un tiro en una pierna, que es lo peor. Piensa en esto último y le parece tan sospechoso, que hasta él mismo duda de su inocencia. Piensa en el trámite del cuento, en la cara de los ingenieros y la de Jenny, la secretaria, cuando les cuente. Piensa en la nómina y en la mirada de los obreros.

Piensa, qué cagada, en la cara de culpable.

En el metrobús todo el mundo participa de las conversaciones del atraco. Todo el mundo, menos él. Él y el cuarentón que está con su niña y que se dedicó a hablarle de otras cosas. Cuando ya el tema comenzaba a morir en los pasajeros, el hombre le preguntó a la niña, que va callada viendo por la ventana con mirada melancólica.

¿Qué tienes, nena?

Que me da cosa con el muchacho. Tiene como ganas de llorar, respondió.

¡En este país nadie lee!

a L.R.

Le encanta releer clásicos. Vuelve a ellos cuando sus contemporáneos comienzan a lucir repetidos. Una tarde, volviendo a casa del trabajo, entró en una panadería cercana. Un ejemplar de la *Ilíada* la acompañaba acunado en su brazo derecho. Compró pan, leche y queso y colocó el volumen sobre el estante para buscar el dinero en su cartera. Mientras esperaba por su vuelto, quedó un momento en silencio frente al muchacho que la había atendido; por los rasgos, obviamente portugués. El muchacho inclinó la cabeza y entrecerró los ojos, observando el libro con atención. Ella no sabe por qué, pero cuando esas cosas suceden se pone un poco a la defensiva.

La *Ilíada*, leyó el muchacho en voz alta.

Ella asintió, un tanto incómoda, y rogó en silencio porque le entregaran su dinero pronto, porque a continuación no viniera un chiste, una pregunta estúpida, un comentario fuera de lugar.

El cajero trabajaba como el motor de un viejo tractor de película.

A mí me gusta, comentó el portugués, asintiendo con un grave ademán. Pero me gusta más *La Odisea*. Es más bonita. Ésta es muy sangrienta.

*

Se podría argumentar que los textos de Homero son conocidos en el mundo. Pero lo que le ocurrió un par de años antes resulta mucho más curioso. Sospechoso, diría algún cultor de las teorías de la conspiración. En esa ocasión iba en un bus leyendo un libro de Augusto Mijares.

Lo afirmativo venezolano, si mal no recuerdo, evoca ella.

Aunque llegó a ser ministro de Educación, Mijares es poco conocido hasta por los venezolanos, lo cual no debe extrañarnos.

Una amable agudeza suele acompañar sus reflexiones sobre la educación. Leerlo es escuchar consejos de un abuelo sabio que, más que regañar con cortesía, nos hace ver los errores con discreta erudición.

Muy cerca de la puerta de entrada iba ella con su libro y, en un momento inesperado, el conductor del bus, viendo de reojo, comentó, como hablando consigo mismo, suspirando mientras sus brazos ejecutaban una coreografía con el inmenso volante y la palanca de cambios:

Augusto Mijares. ¡Qué importante es leer a ese señor! Si lo leyéramos más, este país no estaría como está.

*

Hay que vivirlo para saber lo que es un vagón del Metro a las siete de la mañana. Leía un ejemplar de *País portátil* de la edición de 1973. Toda una reliquia.

Te lo presto si me lo cuidas, le dijo el que se lo prestó.

Claro, vale, ¡por favor! No faltaba más, debió responder ella, pero no desconocía que su sonrisa era más eficaz que mil palabras para ablandar el corazón de los dueños de libros ajenos deseados. Por tanto, la ejecutó en silencio.

Atravesaba Caracas en un vagón de Metro, leyendo que Andrés Barazarte la atravesaba en un autobús. De pronto, en medio del calor y el apretujamiento, sintió que las letras se evaporaban gradualmente. O, más bien, como si hicieran una veloz y continua degradación hacia un gris muy claro (hasta alcanzar 5% de negro, dirían los entendidos en artes gráficas). El frío comenzó a subir por sus piernas. Los sonidos del entorno comenzaron a hacerse huecos, mientras su propia respiración los iba apagando. El frío dio paso a una placidez. Enorme. Total.

Despertó sentada en un asiento del vagón. Varias personas la rodeaban. Un funcionario del Metro la estudiaba en silencio.

¡Despertó!, oyó que dijo alguien, y comprendió que se referían a ella.

Desmayarse en el Metro, se quejó. La forma más fácil de

regalar tus cosas.

Sus ojos preguntaron por su bolso.

Todo está aquí, mi niña, le dijo un moreno que se lo extendió con ternura.

Tratando de no ofender, hizo al tanteo un disimulado inventario de lo más importante: monedero, celular, llaves... ¿Y el libro?

Ella tiene una risa franca. Una risa limpia, sin recodos malintencionados. Pero en contadas ocasiones esa risa se vuelve misteriosa. Sucede, por ejemplo, cuando alguien quiere parecer inteligente en una conversación, y no se le ocurre otro recurso que acudir al clásico tópico de "en este país nadie lee".

En esos casos, su risa limpia adquiere un extraño matiz, un misterio lapidario que intimida al infeliz interlocutor, junto a un ligero vaivén de cabeza de un lado a otro. Podría echar alguno de sus cuentos, pero se limita a decir:

Hay de todo, no te creas.

El engañoso stop motion

> *When I was a child*
> *I caught a fleeting glimpse*
> *Out of the corner of my eye*
> Roger Waters

En esa esquina había un poste.

Esquivando un carro a unos cien kilómetros por hora, un motorizado realizó una maniobra inesperada que lo lanzó por el aire. En su efímero vuelo vio su moto girar por el asfalto como un aspa, y mientras pensaba en lo divertido que iba a ser contarle esa hazaña a su mujer, sintió que le bajaron el interruptor de golpe.

Era tan famosa su temeridad, que le decían El Gato. Pero, o había ido muy lejos en eso de tentar a la suerte, o debió agotar su novena vida, porque el impacto contra el poste le fracturó el parietal de punta a punta.

Como a nadie le avisan de las líneas que le tocan en la próxima escena, un poco menos de dos semanas después, huyendo de su responsabilidad en un choque, un conductor de microbús hizo de ángel vengador del motorizado, arrancando el poste de cuajo y arrastrándolo varios metros en su huida.

Siempre habrá quien especule que si los sucesos se hubiesen invertido en el tiempo, el motorizado hubiese recibido halagos en lugar de misas. Que es como decir que el acento de la fatalidad no lo pone el sitio tanto como el momento en que suceden las cosas.

*

La vida daría a Yelitza suficientes elementos, además de tiempo y silencio de sobra, para llegar a esa conclusión. Ver cómo comenzaba a desvanecerse en las fotos de las giras que sus excompañeros colgaban en sus perfiles de Facebook, era una

razón para pensar en ello. Estuvo en el sitio, pero contrario a las evidencias de entonces, no le tocaría estar en el momento.

Aunque no con un trazo perfecto, el dibujo de su vida iba bastante avanzado. Incluía un puesto ganado como solista de viola en una filarmónica. Y un admirable control sobre su tendencia a la obesidad. Y un padre lejano cuya presencia se manifestaba en dígitos en su cuenta bancaria, que se convirtieron en un carrito, en comprarse la ropa que le provocaba, en salidas nocturnas y paseos a la playa... en una cómoda vida de soltera. Ese dibujo perfilaba la cercana decisión de pensar en la Especialización en Dirección en alguna ciudad europea.

En algún momento, esa chica juiciosa que vivía en su apartamento de soltera sin preocuparse por pagos, decidió que su mapa estaba tan minuciosamente trazado que no le vendría mal un poco de diversión explorando otros caminos.

Fijarse en el mundo que estaba más allá de la orquesta.

Y, creyendo que era un pequeño recreo en su camino, se fijó en ese gordito gentil, ocurrente, piropero, juguetón, alegre, temerario, irresponsable, tramposo, desordenado, caótico, mentiroso y divertido que ya no recuerda quién le presentó.

Eso sí, nadie la engañó. A ella todos esos adjetivos le resultaban adorables encarnados en el Gato, que era como le decían. Estaba segura de que ese divertido atajo que hacía chistes con los nombres de las piezas que estaba montando, no sería jamás un obstáculo en su camino sólidamente trazado hacia su carrera musical.

Pero la vida tiene el engañoso ritmo del *stop motion*. Crees asistir al laborioso paso de los días, tomados foto a foto, cuesta arriba en la producción, y cuando te das cuenta en realidad estaba corriendo la película. Y te ves de pronto leyendo los créditos. Y en ese cuadro a cuadro, por algo de diversión y algo de rebeldía, Yelitza comenzó a salir con el Gato con cada vez mayor frecuencia, y comenzó a pasarla bien en su compañía, y a considerar encantador que no supiera nada de música pero que bailara sabroso. Y en una foto se sintió enamorada, y en la siguiente estaban encerrados en su apartamento revolcándose toda la tarde, y en la siguiente estaba embarazada, y en la

siguiente su papá le armó un escándalo por teléfono, y en la siguiente la expulsó de su paraíso, y en la siguiente se reían felices de no tener qué comer, instalados en casa del Gato, a una hora de Caracas.

En esa época, de tarde en tarde aún sacaba la viola y tocaba un poco.

Mientras estuviese riendo y mientras suspirara, no le importaba en lo absoluto renunciar a cada uno de los privilegios de su vida. Concluyó que era cómoda pero tediosa. Ni perder amistades que no fuesen capaces de entender su amor. "El que no respeta mis decisiones no me respeta", decía. Ni vender el carro para comprar la cuna y una moto para el Gato. "Aquí no hace falta carro, y con la moto él puede trabajar". Ni justificar sus trampas y mentiras. "Él es como un niño, pero es muy noble", se decía antes de perdonarlo. Ni buscarlo al hospital cada vez que salía mal librado de una de sus temeridades en la moto. "¡Tú de verdad tienes nueve vidas, vale!"

Era divertido, siempre terminaban reduciendo sus accidentes a chistes.

Pero si algo resulta difícil es mantener la risa cuando el mundo que te rodea te mira con compasión y, peor aún, cuando un día comienzas a ver, donde había un sólido mapa, una creciente fisura en tus convicciones.

Un día alguien le preguntó quién era la nena de la foto que guindaba en el espejo de la peinadora. Y ella observó la imagen como extrañada, y la detalló como quien ve una novedad: el cabello rizado por los hombros, el vestidito negro, la mirada resuelta, la viola en una mano y el arco en la otra. "Esa era yo", se escuchó decir, agregando para entender que iba por una cuesta sin frenos: "Era linda, ¿no?"

Y resultó que el niño salió enfermizo. Y que la risa se le pasmó. Y que el Gato se ausentaba por períodos cada vez más largos y con mayor frecuencia. Y que ya no lo amaba esa mañana que salió (quién sabe de dónde) sin saber que tenía puesta la novena vida.

Y la dejó en un poste. Y a ella no le asombró no haber sentido nada.

*

Contaba Borges que así como podían duplicarse, las cosas en Tlön propendían "a borrarse y a perder los detalles cuando los olvida la gente". Muy avanzada su película, instalada en esa casa a una hora de Caracas, con un niño ausente que siempre sería un bebé, intuyendo que se desvanecía en silencio, desaparecida de las fotos en los muros de Facebook, de la lista de invitados a las fiestas, de los catálogos de los conciertos, de las conversaciones de los amigos y de toda forma de comunicación con esa vida lejana, Yelitza cruzaba la calle todas las tardes con diligencia para ver en qué podía ayudar a una vieja vecina que vivía sola como ella, en un caserón en la acera de enfrente...

Durante esos insomnios estirados en que elude el espejo por temor a no verse reflejada, se consuela pensando que mientras esa vieja solitaria la espere todas las tardes, no habrá desaparecido del todo.

Pero una noche se estrelló contra un pensamiento, inconmovible como un poste, que terminó de vaciarla ¿Y si el purgatorio es precisamente cruzar esa calle todas las tardes, por toda la eternidad, para visitar a otro fantasma?

La naturaleza invisible de las cosas

Menos sabio, yo creo que conozco mejor a las mujeres
que Freud y sí sé lo que quieren.
No quieren sexo, no quieren seso. Quieren romance.
Guillermo Cabrera Infante

El que se baja de un vagón del Metro, a eso de las siete de la mañana, se siente como el que acaba de tener sexo con alguien que no le gusta ni siquiera un poquito. Siente una palabra que no es fastidio, ni desencanto, ni calor, ni arrepentimiento, ni grima, pero que tiene algo de todas ellas.

Lo que se siente dentro del Metro es una versión contemporánea de un castigo bíblico. Tanto, que podríamos traducir a nuestro tiempo las palabras de antiguos amanuenses para ilustrar el poder de su dios: golpes, gritos, tumulto sin forma, largas esperas, calor sofocante, furia desatada, desolación... Y desde el techo, como un trueno, la voz del profeta Alí-el-Primero, enseñando a quienes se ganan el pan en duras jornadas a cambio de un salario de mierda, cómo es la vida de quienes se ganan el pan en duras jornadas a cambio de un salario de mierda[3].

La gente camina en pasillos y andenes y sabe, sin alcanzar a ver, que algo anuncia ese aire enrarecido. Otean en todas direcciones, confundidos y preocupados, apurando el paso, como los perros cuando perciben esas presencias que deambulan en dimensiones paralelas en la oscuridad de nuestras casas.

El punto más alto del calor. Una capa tectónica gelatinosa. Un río humano, literalmente. Todos los virus, las rabias, las lascivias, los humores, flotando y frotándose. Eso es el metro. Y si bastante caldo de cultivo tenemos con seres que duermen en casa, ni imaginemos el añadido de esa raza que riega a los usuarios con

---

[3] En una época, a la Gerencia del Metro le dio por poner a toda hora música del cantor de protesta Alí Primera. Es muy probable que dejaron de hacerlo cuando se dieron cuenta de que la situación del país se parecía peligrosamente a lo que el músico denunciaba en sus canciones.

cuentos trágicos a cambio de unas monedas. (¿Cómo es que los operadores del sistema no advierten el ingreso de ese sujeto sin piernas que, pasando bajo los torniquetes, se arrastra sobre una patineta raída?). Eso es el Metro. Y es el atraco y el suicidio. Y el coleao y la morbosa leyenda de los "suicidios" involuntarios en medio del tumulto. Y la fábrica de paranoias de ese río subterráneo que mueve a la fuerza laboral de la ciudad.

Una fábrica de paranoias, pero también de esperanzas.

En *La redención de Shawshank* (Frank Darabont, 1994), el prisionero Andy Dufrense se encierra en la oficina donde funciona el sistema de altavoces, e inunda el patio con un aria de *Le nozze di Figaro*. De inmediato, cientos de hombres alzan la vista aturdidos ante ese cofre que desató palabras tan peligrosas: belleza, compasión, armonía, deleite, fragilidad, placer, sensualidad, mujer, humanidad, esperanza, suavidad, dulzura... Ellis Boyd, otro prisionero, comenta (en *off*): "No tengo la más remota idea de qué coño cantaban aquellas damas italianas, y lo cierto es que no quiero saberlo. (...) Supongo que cantaban sobre algo tan hermoso que no podía expresarse con palabras, y que precisamente por eso te hacía doler el corazón (...). Y por unos breves instantes, hasta el último hombre de *Shawshank* se sintió libre".

Y en eso de tener sexo con alguien que no te gusta ni siquiera un poquito, la chica de la falda de *jean* y la mirada triste se preguntaba una y otra vez cómo fue que despertó en ese hotel la mañana del pasado sábado. ¡Y con ese tipo! Hace un recuento mental: la celebración con los compañeros de clases, la falsa euforia de los grupos, los cócteles de algunos sitios nocturnos y ese impulso que el alcohol da a las chicas de querer sentirse *sexy*. Piensa y se lamenta que la vida a veces es un charco de mentiras cuyo disfraz no aguanta un amanecer.

Va ensimismada en su desdicha, de pie en un vagón del metro, cuando entra en escena El Guitarrista. "Bueno, señores, un poco de música para aligerar el ambiente..." recita de memoria y comienza a ganarse el pan con una versión de alguna balada *pegada* en la radio. Se desplaza por el vagón cantando y

tocando hasta que tropieza con nuestra *emo* circunstancial. Ella siente por ese sonido ajeno el mismo fastidio impersonal que siente por todo lo que viene del mundo externo. Él va caminando y se detiene ante la chica que mira al piso. Ella echa el cuerpo hacia atrás para que siga de largo, para que se vaya con su insólita alegría tan lejos (y tan pronto) como pueda. Él ignora su mensaje corporal y se detiene a cantar con dulzura mirando unos ojos que lo esquivan.

Como la carga precisa de TNT, un par de minutos bastaron para lograr su objetivo: tras la pared demolida, una sonrisa halagada se dibujó en ese rostro empeñado en mantener la rabia y el dolor intactos. Eso que no sabía que necesitaba, un chico desconocido se lo dio sin pedir nada a cambio. Sin alcohol, sin hotel.

Él terminó su pieza, recogió la colaboración entre los pasajeros y se fue al siguiente vagón a seguir ganándose la vida. Sin mirar atrás, como los héroes de las películas, dejando en esa cara una sonrisa grabada en mármol. Tanto, que cuando ella logró sentarse, cerró los ojos para estirarla, para que la realidad no pudiera estropearla. Y viajó en una isla, en una taima de su dolor, en una dulce dimensión paralela de esa ciudad/hospital que sólo acepta amargados, adoloridos, resentidos.

Y desapareció para siempre, cumplido el cometido, dejando una estela de vida posible. Abriendo ventanas por las cuales se ensancha el estrecho mundo de los que se ganan el pan sin ilusión ni placer alguno en ello. Desinfectando el ambiente de puteadas biliosas y corroídas. Soplando un poco de brisa al corazón.

La chica redimida, con una media sonrisa y con los ojos aún cerrados, dejó escapar de sus labios la frase: eso es un ángel. Un hombre sentado a su lado, de unos cincuenta años, con una guayabera crema casi transparente de lo vieja y una ajada biblia en falso cuero entre unas manos que reprimían mínimos temblores, lo ratificó con solemnidad. Agregó que se trataba de guerreros celestiales en su lucha eterna contra el mal. Que él en persona había presenciado sus batallas contra demonios sanguinarios. Ante la sonrisa divertida de la chica, el viejo le confió,

bajando la voz, que una noche muy tarde los vio con sus propios ojos (señalando primero a uno y luego al otro) desplegar unas enormes alas nacaradas, hermosas, con las cuales ascendieron, luego de culminada la batalla. Aleluya, hermana, decía temblando, conmovido por su propio relato.

Y, a pesar del tono delirante de su discurso, decía una verdad. O una de las formas de la verdad. Aunque la chica no dejara de verlo como un simpático viejo loco. Y aunque las pupilas del hombre, cruzadas por un delta carmesí, se ahogaran en el infierno líquido del delirium tremens. Ese que hace ver, como los perros en la oscuridad de nuestras casas, la vida paralela en que se mueve la naturaleza invisible de las cosas.

Un guionista al que se le secaron las ideas

a Fabrizio

Bloodied angels fast descending
Moving on a never-bending light
Black Sabbath

Barrer una avenida, de punta a punta, a la una de la madrugada, es de esas tareas que nadie quiere hacer. Pero que alguien termina haciendo. Escoba y pala, metro a metro, un rato arreando los montoncitos de basura y otro atisbando el horizonte, los barrenderos parecen los guionistas de la ciudad nocturna. De tanto andar, terminan viendo "los patrones", como si se les volvieran visibles los hilos que mueven la vida. Apenas se asoman, todo cuanto sucede encuentra su acomodo en esa infinita película que se rueda en la calle.

De noche, los barrenderos son tan invisibles como la luz roja, los teléfonos públicos y los postes de luz. Son, gracias a eso, espectadores privilegiados. Como fantasmas, atraviesan las escenas sin salir en cámara ni ser vistos por los actores. De allí que distingan el bien del mal, el culpable del inocente, la víctima del victimario.

Sea cual sea el disfraz que decidan ponerse.

Ramón tiene varios años barriendo la San Martín. Huele el peligro una cuadra antes de que se corporice. Por eso se quedó tranquilo cuando vio la bandita de cuatro muchachos que se acercaban hablando bajito y caminando rápido. No necesitaba pedirles la cédula para saber que *estaban limpios*.

Pero los policías son otra cosa. El que está armado de una pistola automática y una chapa nunca tendrá los sentidos tan agudos como el que sólo puede blandir una escoba y una pala. Las herramientas del primero no sólo le embrutecen los sentidos, que ya es malo, sino que le envilecen el carácter con ese veneno llamado poder.

Por eso, porque el que puede apuntar un arma no está obligado a ser sabio, es que Ramón vio una cosa y los dos policías que iban en la patrulla vieron otra. Por eso no podían dejarlos pasar. Por eso, como ángeles de furia de utilería, les cortaron el paso montando la trompa de la patrulla sobre la acera. Por eso, al ver las caras de terror que fotografiaban los faros, se les activó el "Poderoso". Por eso se bajaron de la patrulla con las pistolas en la mano, ladrando órdenes que los muchachos acataron aún antes de entenderlas. Mansamente se colocaron contra la pared, con las manos tan altas como les fuese posible, con la cédula en una de ellas.

Había miedo en el gesto, pero también la excitación de protagonizar esa experiencia de la que se jactan los panas mayores. Aunque nunca se tome en cuenta las variantes del "número". En este caso, consistía en que uno de ellos, pongámosle Kevin, no tenía en la mano, como los demás, el consabido papelito laminado.

Si se tratara solamente de limpiar la calle, Ramón los habría dejado ir. Pero no se razona igual teniendo una escoba que una pistola y una chapa. Por lo que los policías, al ver esas caras y esa mano que no blandía la cédula, intuyeron al momento la presencia de eso que se conoce como el extra, el redondeo, el regalito. El negocio, pues.

Eso que Ramón encuentra, acaso una vez al año, en forma de cadena o reloj en el piso.

Y comenzó a rodar la escena que hacían con tal frecuencia que casi les producía bostezos entre parlamento y parlamento: ¿De dónde vienen ustedes? ¿Pa´ dónde van? ¿Y tu cédula, chamo? (Cejas enarcadas respondiendo al balbuceo del que está complicado en el delito de haber dejado la cartera en casa. Cuchicheos teatrales apartándose ligeramente del grupo. Caras de gravedad al volver).

Móntate en la patrulla, le dijo uno.

Es que nosotros estábamos en mi casa, y bajamos a acompañarlos a ellos a conseguir un taxi, porque estábamos celebrando mi cumpleaños, señaló un temerario que pudo haberse quedado invisible.

¿Yo estoy hablando contigo, muchacho pajúo? ¿Quieres que te meta en la maleta y te dé unas vueltas?

Negativa del aludido.

Me hicieron *arrechá*. Ahora se montan todos en la patrulla, dictó un corrompido dios de furia con la cara llena de barros y una poderosa halitosis.

Los muchachos obedecieron con torpeza. Ramón, invisible, atravesando la escena, negó con la cabeza mientras seguía barriendo. Llevar la contraria a un dios colérico sólo lo puede hacer el que tenga el don de la invisibilidad.

El Zeus de anime jugaba a los naipes abanicando las tres cédulas que tenía retenidas. Las cédulas simbolizaban vidas en su poderosa mano. Conversaba distraído con su compañero afuera de la patrulla. Todo estaba previsto. Por "sorpresa" la gente entiende asistir por primera vez a una escena vieja, repetida. Todo lo nuevo parece real. Los muchachos, adentro, conversaban bajito entre ellos. Todos hablaban para ahuyentar sus propias versiones del ingreso a una cárcel en la madrugada. Los fogonazos de imágenes enterraban agujas heladas en sus espinas dorsales en tanto se sintetizaban en vocablos en sus cabezas: Malandros, piedreros, incomunicados, celdas, violación, noche, amanecer, policías, silencio, oscuridad, espaldacontraespalda, no vayas a llorar, marico...

El aliento de Zeus interrumpió el silencioso foro, anunciando cual heraldo su cara llena de barros que se asomó por la ventana, e informó:

El cumpleañero y los otros dos se me pierden. El indocumentado se queda.

Y abrió la puerta.

Ninguno de los muchachos se atrevió a moverse.

¿Ah, quieren pasear todos? Bueno, vámonos pa la Zona Siete, pues.

Y dio un portazo a manera de punto final.

El compañero de Zeus se montó en el asiento del piloto y cerró la puerta dando un cholazo que hizo rugir el motor de la patrulla. Kevin, hacinado con los panas en el asiento de atrás, sintió un sudar frío resbalar por su nuca. Alguien halaba un hilo

que estaba pegado a la pared de los estómagos de los cuatro.

Pero Ramón conoce todo cuanto sucede en la calle apenas se asoma. Como el viejo proyeccionista de un cine de pueblo, conoce el final de todas las películas. Por eso asistió con aburrimiento a la escena en la que Zeus asomó de nuevo su aliento de rata por la ventana de la patrulla y sugirió la salvación:

Vamos a hacer una vaina. Yo tengo hambre y quiero un pollo. ¿Cómo hacemos?

Dos cuadras más y ochenta bolívares menos, desvalijados en comuna, sin taxi pero sin pesadillas, los muchachos se devolvían a casa del cumpleañero. Visto con optimismo, habían pagado por un guión que se estiraría hasta alcanzar dimensiones épicas durante las próximas semanas.

Ramón los siguió hasta que se perdieron de vista, a policías por un lado y a muchachos por el otro, con una mezcla de lástima y tedio. Al volver a su rutina, vio un periódico casi intacto en el piso. Lo recogió y, antes de meterlo en la cesta, leyó sobre un tipo que le pidió millón y medio de dólares a otro para no meterlo preso.

Este no quería un pollo sino la pollera completa, se dijo, incapaz de asombrarse de nada.

Y siguió barriendo y andando, invisible, escoba y pala, metro a metro, un rato viendo los montoncitos de basura y otro atisbando el horizonte, aburrido ya, como un guionista al que se le secaron las ideas.

En la alcabala

a mis hermanos. Padres con "P".
La prima pobre del miedo es la rabia
Thomas Lynch

Alberto es un tipo común. Trabaja duro, tiene familia, intenta llegar a la quincena, ama a su hijo... Un tipo común, de los que se inquietan con las noticias diarias. Alberto ama a su hijo y siempre que lee cosas como las de Kennedy[4], piensa que su muchacho no va a decir que no cuando un compañero de la UCV, donde estudia, le diga: "Acompáñame a llevar a las panitas a su casa, que me da maltripeo ir solo". No hay remedio: vivir en Caracas, vivir en Venezuela, vivir en estos primeros años del siglo XXI, corresponde a disponer de dos turnos seguidos en una obligada ruleta rusa. O, peor aún, a que te toque al azar jugar a la ruleta venezolana (siempre que pierdas seguirás jugando).

Aunque los viejos digan que siempre ha sido así, Alberto piensa que tanto militar suelto, tanto policía de civil, tanta arma, tanta apología a la guerra, tanto militante fanático presto a actuar, tanto *malandreo*, no es un asunto de todos los tiempos. No se despacha con un "siempre ha sido así".

Alberto salió esa mañana a su oficina. No todo el mundo sale feliz a ganarse el pan en el negocio de otro. Y ya dijimos que nuestro personaje es un tipo común. Las mañanas rumbo a la oficina tienen esa cosa a mitad de camino entre el tedio

---

[4] Para hacer corto el horror: jugando a la guerra, una docena de hombres encapuchados provistos de armas de alto poder de fuego, montaron una alcabala en la entrada de ese barrio del sur de la ciudad, una noche de un día de semana. Se trataba de "efectivos" de la Dirección de "Inteligencia" Militar. Un grupo de estudiantes universitarios viajaba en un carro (le iban a dar la cola a una de las compañeras de clases, porque salieron tarde y, para darse valor, se fueron un grupo de tres chicas y dos chicos) y, al ver a los encapuchados haciéndoles señas de que se detuvieran, obviamente aceleraron. Los asesinos los persiguieron disparando sus potentes armas, hiriéndolos de gravedad a todos. Aún con vida, los chicos intentaron salir del carro, aterrorizados sin saber el porqué de tanta saña, sin saber por qué estaban sentenciados a muerte. Les dieron alcance y los remataron cobardemente. A los dos chicos los convirtieron en coladores. Una de las chicas no se recuperó más nunca de las lesiones. Uno de los que conducía la "operación" era una mujer.

y la desesperanza. Precisamente, para eso están los programas "ligeros" de la radio.

Alberto trata de encontrar un punto de equilibrio ante tanta realidad: hace un mes invadieron a plomo un edificio cerca de donde vive la mamá. Hace dos semanas se volvió a hablar de expropiaciones. Hace una, un líder que viste con ropa italiana y usa relojes suizos, advertía que "hay que comprar nacional", mientras seguía en su cuenta de "nacionalizaciones".

Alberto todavía no sabe convivir con el cinismo. Se resiste. Meditaba sobre dónde se encontraría el punto de quiebre, escuchando sin prestar atención a las risas falsas de los locutores de la radio, cuando sintió un golpe a un costado de esa camioneta que a duras penas logra mantener.

Su reacción fue buscar con la vista hacia el costado de donde vino el sonido. Por el retrovisor ve el celaje de una moto con un hombre vestido de verde sobre ella. Le pasa por un costado y comprende, de inmediato, que: a) Esa moto con el militar encima tiene que ver con el golpe —el del costado de su camioneta, no se crea—; y b) No piensa detenerse. Las cadenas, la amenaza, las viejas entrenando para unirse a la guardia patrimonial, la neurótica versión de los hechos de las "marchistas" profesionales, los devaneos de la prensa mundial buscando por estos lares al "buen salvaje", el desabastecimiento que se vuelve rutina, tanta pistola y tanto verde junto, todo eso le estalló en la frente. En la cara.

Con rabia, sin prudencia, gritó por la ventana:

Coño, ¿y te vas a ir?

El motorizado no actuaba como un ciudadano con responsabilidad civil, sino como un uniformado con autoridad militar. La gente se resigna a que en Venezuela el uniforme no es servicio, es autoridad. Así se lo enseñan en la Academia Militar. Detiene la moto a un costado, sin muchas precauciones. Se baja y de mala gana le dice, con ese tono con el que suelen decir las cosas quienes tienen una pistola al cinto:

Ven pa´ve qué fue lo que te hice.

Los teóricos de la comunicación dicen que todo eso está previsto. La polarización, la amenaza, la arrogancia... Alberto

sólo sabe que no quiere andar con la camioneta rayada, porque está conteniendo, con lo que le resta de fuerza, la pauperización que se cierne sobre su modo de vida.

¡Ven, no! ¡Ven tú que fuiste el que me rayó la camioneta!, le contestó.

El motorizado sonrió, dueño de la situación, y se acercó con parsimonia. "Si no van a saber andar por la calle, que no salgan de los cuarteles, nojoda", pensó Alberto mientras veía la raya que marcaba otro escaloncito en su camino hacia abajo.

El motorizado se le paró al lado y, con una sonrisa de medio lado, preguntó:

¿Qué fue lo que te hice? ¿Esa rayita?

Alberto conocía sus limitaciones, que eran muchas, y las longitudes de su paciencia, que eran pocas. Tanta desfachatez era una invitación a convertir una mañana de ida al trabajo en un confuso episodio en Fuerte Tiuna. Con coñaza incluida. Y hasta con expediente por subversión, que no es difícil lograr. Pero su ego no le permitía retirarse en silencio. Si había bajado un escalón más en su nivel de vida, no tendría por qué bajarlo también en su concepto de sí mismo.

¡Nojoda, de bolas, si ustedes son arrechos y nunca pagan un coño!, comentó con suficiente volumen para salvaguardar su honor ante los mirones, pero con suficiente sensatez como para montarse en su camioneta y seguir directo al trabajo, sin volver la vista atrás.

Pasó el día pensando en la raya. Necesitaba llegar a su casa y echarle el cuento a su mujer, tomarse un *whisky*, relajarse frente a la programación del cable y revivir la furia al día siguiente, cuando viera que la raya (como el país) seguía allí.

Camino a casa, ya estaba preparando el cuento a su mujer cuando, al abrir la puerta, vio en el rostro de ella, frente al televisor de la cocina, que algo más importante que una raya en la camioneta estaba ocurriendo.

¿Qué pasó?, fue su saludo.

Ella también ama a su hijo, y ya lo dijo el poeta: el que tiene un hijo tiene todos los hijos. O algo así.

Los muchachos que secuestraron. ¿Te acuerdas? Los encontraron muertos. A los tres.

Alberto sintió que toda la rabia que sentía por una raya se le salió del cuerpo, y que todas las preguntas que se hacía esa mañana eran vanas. Sintió lo que siente cualquiera ante la muerte: que todo lo demás agacha la cabeza, por temor y respeto, ante el misterio de lo irreparable, del dolor de hombres como él, que quieren a sus hijos. Entendió a cabalidad, sin haberlo leído, eso que escribió La Rochefoucauld en sus Máximas: "A la muerte y al sol no se les debe mirar a la cara". Entendió que su furia y su temeridad mañanera entraban en el rango de la peligrosa soberbia, y que su mujer y su hijo celebran cada noche que atraviesa ileso por esa puerta.

Como al empresario aquel. Los habían parado en una alcabala policial, dijo su mujer, como si hablara consigo misma.

¿Y Pedro?, preguntó él de inmediato.

En su cuarto, respondió ella sin quitar la vista del televisor.

Las mañanas son buenas para pensar. Sería al día siguiente cuando, rodando al trabajo con su camioneta rayada, Alberto se preguntaría si se estaría volviendo cómodo por el hecho de haber pensado que él, después de todo, había corrido con suerte en su ración diaria de violencia, pistolas, descomposición y uniformes, o si estaba aprendiendo a convivir al fin con las condiciones que lo rodean.

No vas a creer lo que acaba de pasar

Ignacio y Gilberto no estaban pasando por un buen momento. Agotamiento, le llaman a ese punto en que todas las convergencias de un tiempo terminan convertidas en divergencias.

Esa tarde de jueves se citaron para tomarse unos tragos en el San Ignacio. Habría pasado una hora, pero parecía un largo día atravesado por una alambrada de reproches velados y comentarios desabridos, por lo que pidieron la cuenta y decidieron irse a casa.

La relación estaba en franca terapia intensiva. No parecía posible que viviera un minuto más si la desconectaban, pero ninguno de los dos se atrevía a invocar la tregua de la necesaria distancia. El que lo intentara le daría al otro el pretexto (lógica de guerra) de interpretarlo como una hostilidad que merecería respuesta.

Pero, tarde o temprano, alguien tendría que hacerlo.

Ignacio debió ir al baño en el local donde se aburrían, pero no lo hizo y no pensaba devolverse. Además, con lo celoso que se había vuelto Gilberto, de seguro fantasearía con un "alguien" que esperaba en una mesa cercana con una tarjeta con sus señas. Pero no iba a aguantar todo el trayecto sin vaciar la vejiga, por lo que, al ver el baño de la entrada del estacionamiento, comentó:

Ve pagando, voy un momento al baño.

¿Por qué no fuiste allá arriba?

Ve pagando, coño, que voy al baño, no a Saint Tropez.

Por mí puedes ir a la mierda, salió de la sonrisa amarga de Gilberto.

Entró al baño. Brillaba. Acababan de limpiarlo. Un hombre alto, de unos cincuenta años, se peinaba frente al largo espejo que atravesaba la pared de los lavamanos. Todo estaba en silencio. Ignacio caminó directo a uno de los dos urinarios del fondo.

De una de las puertas de los excusados salió un hombre con

gorra y un bolsito que miró breve pero fijamente hacia el espejo. A Ignacio le incomodó que una mirada tan directa estuviese dirigida a él, pero comprobó que era con el que se peinaba, aunque eso no le amainó el desagrado. Le asustó que fuese a atracar al caballero en su presencia.

Pero de inmediato, algo en las miradas que se cruzaron le hicieron entender que, no sólo se reconocieron, sino que se hicieron una seña imperceptible. Es decir, no eran desconocidos. Es más, juraría que el que se peinaba impasible usó sus labios como una mínima y breve flecha que indicó hacia el baño que estaba a sus espaldas, al lado del que había estado ocupado por el que salió. Juraría, también, que el otro vio hacia esa puerta cerrada que le señalaban con el breve y mínimo movimiento de labios y asintió, con un gesto igual de breve y de mínimo.

Pero todos esos juramentos durarían cuatro, cinco segundos, porque de inmediato se dijo que la vida no se podía vivir así, que si no se aprendía a vivir en Caracas habría que resignarse a morir enfermo de paranoia; que "no ves, el del espejo se va, eso es todo". Eso era todo, se estaba reiterando, mientras se colocaba frente al urinario y se bajaba la bragueta. Y orinó siguiendo a través del espejo la trayectoria del hombre que salía, para terminar de convencerse.

Gilberto pensó que la relación se estaba desmoronando en sus narices y concluyó que nada costaba poner un poco de su parte. Concedió que estaba muy posesivo, así que cambió de opinión y decidió esperarlo a la entrada del baño. Quizá lo invitara a comer algo antes de irse a la casa. O le diría para ir al cine.

Cuando estaba a unos pasos del baño vio salir a un señor alto quien, antes de cerrar la puerta tras de sí, metió la mano por la rendija que quedaba y, en un movimiento rápido, apagó la luz antes de dar un portazo.

Está cerrado, le dijo, quedándose en el medio de la puerta con las manos cruzadas delante.

Gilberto se sintió repentinamente confundido. Le pareció extraño que el señor cerrara la puerta de esa manera. Además, no tenía aspecto de trabajar ni como vigilante ni como personal

de limpieza. En todo caso, de personal administrativo. ¿Algún funcionario público que lo estaba clausurando? En todo caso no estaba tan seguro de que ese era el baño al que se dirigió Ignacio, por lo que se disculpó y, dubitativo, se alejó unos pasos buscando con la vista el otro baño, al extremo del pasillo, antes de encaminarse hacia él.

La escena estaba enmarcada en una sola panorámica. Ignacio pudo ver por el espejo cómo el hombre de la gorra sacó algo del bolso que llevaba, se agachó rápidamente y metió ese algo en la mano por debajo de la puerta del excusado que permanecía ocupado. No tenía muy claro lo que estaba viendo, porque, además, todo ocurrió una décima de segundo antes de que el viejo alto, que ya había abierto la puerta y tenía el cuerpo fuera, volviera a introducir el brazo fugazmente para dar un manotazo al interruptor y cerrar la puerta con fuerza.

Ignacio sintió frío y un fuerte latido en las sienes. Su mente intentó comprender lo que ocurría, pero no logró producir un sólo pensamiento sensato. La trayectoria del cuerpo que se agachaba se terminó de dibujar en su mente, porque ya el baño había quedado en la más absoluta oscuridad y apenas percibió la energía del movimiento. Mientras lidiaba con el pánico y aguzaba la vista hacia el sitio dónde debería estar el hombre que se agachó, intuyendo que allí estaba el peligro del que debía cuidarse, escuchó dos, tres sonidos estruendosos, metálicos, cortos, secos, tan cerca que tardaron en apagarse en sus oídos, mientras veía cómo parte de la silueta del hombre se iluminaba con los fogonazos que acompañaron las detonaciones.

No se hubieran apagado tan pronto de no ser por el grito largo que se comió a todos los demás sonidos de pronto. Entendió que ese grito salía de su garganta. Cuando pensó que lo iban a matar, cuando se comenzó a preguntar cómo se sentiría un balazo, un haz de luz se fue abriendo desde el sitio en que sus desorientados sentidos intuían la puerta, y vio al mismo brazo, pero ahora en sombras, dar otro manotazo para encender la luz el tiempo suficiente para que el hombre de la gorra se dirigiera hacia la puerta con movimientos rápidos. Antes de que volvieran

a apagar la luz, Ignacio creyó ver un charco espeso que salía de la puerta cerrada del excusado por donde también salía humo.

Un fuerte olor a pólvora ahogaba el aire.

Gilberto no había dado cinco pasos en dirección al otro baño, que quedaba como a unos cien metros, cuando escuchó las detonaciones y el grito. Se ocultó detrás de una de las columnas de los estacionamientos y volvió la mirada hacia el baño que estaba cerrado cuando, desconcertado, vio que el viejo que se había quedado en la puerta viendo a todos lados, volvió a abrirla e, introduciendo un brazo, encendió la luz de nuevo. De inmediato otro hombre salió y, tras volver a apagar y a cerrar, se perdieron caminando rápido, en distintas direcciones, hacia la calle.

Ignacio intentó abotonarse el pantalón pero el ojal se le volvió esquivo. Como pudo, agarrándose el pantalón con una mano mientras tanteaba los lavamanos con la otra, llegó hasta el interruptor. Parecía una acción sencilla, pero era un esfuerzo sobrehumano coordinar sus piernas, que parecían de gelatina. Temía, además, pisar el charco, que no sabía qué tanto había crecido. Prefirió buscar el picaporte antes que el interruptor. No quería mirar nada de lo que pudiese traer la luz dentro de ese baño. Sólo quería salir de allí. Al girar el picaporte y sentir la luz le extrañó ver a Gilberto caminando, lívido, hacia él. Por un instante no recordaba que estaban juntos esa tarde. Sintió que se había liberado de un largo cautiverio, pero no habían transcurrido dos minutos desde que entró al baño.

No vas a creer lo que acaba de pasar, le dijo a Gilberto.

Éste se limitó a abrazarlo.

Me lo cuentas en el camino, le dijo. Vámonos pa´ la casa.

Tarde de Metro con foro social como marco

Dos tipos altos, greñudos, en sandalias, se montan en el Metro ("Cristo vino, y se trajo a un pana", comentó un tipo entre dientes). El vagón está atestado. Tres chicas menudas, perfumaditas, uniformadas de alguna academia de aprendices de banco, los miran y cuchichean. Hablan de un tufito. Algunos miran en torno con aire grave, buscando algo. Alguien se atreve a exteriorizar un "coño, con este calorcito". Otro lanza al aire la fórmula ancestral: "Limón y bicarbonato, nojoda". Las chicas secundan los comentarios con sus risas y observan a los greñudos, refiriéndose a ellos como gringos. Alguien, con un oído más cultivado, las corrige:

Son franceses. O belgas.

Es el mismo osito muerto, dice una de las muchachas, arrugando su naricita, abanicándose con una carpeta, y estallan en una carcajada cómplice.

¿Uno? Por lo menos dos, marica, completa la otra, apretándose la nariz con los dedos de una mano y estirando los dedos medio e índice de la mano libre.

De pana, marica. Así los hayan matado en China o en Francia, jijijijiji, asevera la que no había hablado, enarbolando una risita desfachatada.

Los dos tipos, silenciosos, miran a su alrededor muy serios. Un cierto desdén acompaña sus miradas. Su estatura les permite mirar en picado. El desdén parece una defensa de las miradas y las risas de las chicas. La intuición les dice que ellos son el chiste. Vinimos a salvarlas del capitalismo y ustedes no agradecen. Se tapan la nariz. Indias pretenciosas. Esto último no lo pensarán, porque escapa de su léxico (y de su entrenado apego a lo políticamente correcto). Pero alguna frase traducirá ese sentimiento. Yo vengo a traer mi verdad. Las chivas largas calcan la imagen clásica de los incomprendidos de la Historia. Puro pasado. El Ché. Woodstock. La mafafa. *Lucy in the sky with diamonds*. Viva Cuba. Viva Vietnam. Prohibido prohibir. Hagamos el amor, no la guerra...

Las caraqueñas son pulcras hasta la frivolidad. Incluso al terminar una larga jornada de trabajo se retocan el maquillaje y el perfume antes de salir de la oficina, de vuelta a la casa. Y siempre huelen rico. Y siempre que las deben mostrar, llevan sus axilas y piernas rasuradas. Y se equilibran en unos tacones impensables, danzando con esclavizante cadencia como si no hubieran atravesado una agotadora jornada.

En otra estación se montan unos sureños. Bolivianos, brasileños, chilenos, colombianos. Los fenotipos se confunden. (La Patria Grande es una madre soltera). Los macutos que dicen "Un mundo distinto es posible" y los atuendos, amén del cartoncito que les cuelga como niños de kinder, los delatan dondequiera que van. Muestran los cartoncitos en las puertas del Metro y pasan sin pagar, con el aire de suficiencia del que muestra el carnet que le da acceso a una planta nuclear.

Una negra dura, con sus sesenta largos a cuesta, comenta, buscando aliados:

¿Y estos no pagan pasaje? ¡Qué mantequilla!

En Bellas Artes se suele montar la delegación más numerosa. Las pintas son un reto a la originalidad. Desde turbantes hasta flechas aborígenes. Para los caraqueños, snobs por naturaleza, toda una novedad. ¿Ya se dijo que las caraqueñas van al trabajo como si fueran las gerentes y no las recepcionistas? Bueno, una chica jovencísima, rubia, vestida de gitana, se monta con un grupo de unos cinco activistas. Su rostro teutón es hermoso en su frialdad, como esculpido en hielo. La dureza de su gesto indica que, pese a la edad, ya ha participado en varias batallas contra el G-8. Ya ha llevado gas y ha sido arrastrada por los tobillos. Su cartoncito dice campamento. La blancura de sus lindos pies hace destacar escandalosamente el barro que se mezcla entre sus dedos. A ella no parece importarle. ¡Madre de Dios! Ni las caraqueñas que viven en los cerruchos[5] se permiten esos deslices,

---

[5] Palabra derivada de cerro, término peyorativo que apela a los barrios de más intrincado acceso, ubicados usualmente en lo más alto de... los "cerros". Los cerruchos están cargados de leyendas urbanas para todo aquel que no los conoce. Son mitos vistos de lejos en su aparente aspecto de inocente pesebre. Una de las leyendas urbanas más difundidas es esa, que mucha gente asegura haber vivido, según la cual alguien invita un viernes

piensa un tipo que mira sus pies con desconcierto. El contraste es brutal. Qué lástima, comenta antes de bajarse, moviendo la cabeza en un gesto de honesta aflicción.

En el andén, los que no tienen cartoncitos colgando, están en otro mundo. En el de aquí. Es decir, su modesto reino sí es de este mundo. El del día a día. Que si será taquilla, que en cuántos juegos ganará el Caracas, que lo que estoy es mamando, que yo vengo cobrando es el miéeeeeercoles. ¿Y el otro? responde su interlocutor, en la típica jerga caraqueña. Y se ríen de su tragedia. E incluso cuando se apretujan en el vagón y los aplastan los que entran, se ríen.

Los turistas los estudian con extrañeza. ¿De qué se ríen? Las revoluciones son cosa seria. De seguro estarán un poco decepcionados por la ausencia de nidos antiaéreos y escuadrones alfabetizadores en las calles. Además, ¿cómo formar cuadros para la batalla con gente tan bochinchera?

Quién sabe qué pensarán de lo que vieron, de esta ciudad salvaje, sucia, de colores brillantes y clima amable. De sus chicas pulcras hasta la frivolidad. De su pueblo, consumista y snob, como pocos. Que un mensajero tenga un Blackberry, da una idea del asunto...

De seguro se fueron un poco desencantados de que este pueblo anfitrión del foro (conejillo de indias de la última esperanza de la izquierda más radical), se sienta tan indiferente ante esas abstracciones ajenas a la fiesta, a ganarse el pan, a la furiosa épica de llegar a casa vivo, cada noche, en esta ciudad alucinante.

---

a su casa a varios compañeros de trabajo. Van en su carro. El anfitrión, luego de subir varias cuestas, estaciona su carro cerca de una cancha, rodeada de callejones e infinitas escaleras desiguales. Saca de la guantera tres pistolas y, entregándole una a cada uno de sus invitados, les dice: "Bueno, a partir de aquí no los conozco. Nos vemos allá arriba".

Atravesando el laberinto

a Lennis y a Ariadna

Por eso cuidate de las esquinas,
no te distraigas cuando caminas,
que pa´cuidarte yo sólo tengo esta vida mía
Yordano

En Caracas es raro ver motos con placas. Menos si a su conductor lo acompaña un indeterminado aire de cuidado-y-te-equivocas. En tales casos la placa la lleva dentro de su cartera, lista para adosarla en la cara del primer ingenuo que, por creer en la Biblia o en la Constitución, haga observaciones indebidas.

Y ese aire de cuidado-y-te-equivocas tiene sus niveles: desde el puro amago hasta ese superlativo representado en esos tipos con caras de no saberse un chiste, galopando hermosísimas BMW de alta cilindrada, sin titubeos ni escrúpulos, dirigiéndose prestos a resolver eso que eufemísticamente se conoce como "asuntos de seguridad del Estado". Al verlos atravesar las calles en sus silenciosas motos de Max Steel, a los más jóvenes se les activan las glándulas salivales y a los más viejos se le erizan los vellos de los brazos.

Como el que ve a la Muerte pasar frente a la puerta.

Desconociendo el viejo pacto de los semáforos (por si un motorizado está leyendo: verde es paso, rojo es alto), mototaxistas, mensajeros, repartidores, cobradores, atracadores, policías, se abren paso entre carros, peatones y montañas de basura a contravía, por mínimos espacios entre vehículos detenidos y la acera, o por la acera misma, como si de no detenerse nunca dependiese el girar de la Tierra.

En el mundo del laberinto representan el peligro que no se ve venir, el Mal sibilino. Los autobuses son Gigantes, los carros

Arbustos y los camiones Monstruos, según explicó un día Andrea a su mamá.

¿Y las motos?

Serpientes, respondió la niña muy seria.

Y así se veía, desde un poco más de un metro de altura, la avenida que cruza todas las mañanas con su mamá desde hace seis años. Ganar la otra acera era una aventura colmada de riesgos, imprevistos, rugidos y fugas, como toda aventura que se precie de tal. Todavía la sigue usando. La nomenclatura, claro, porque con la avenida no tiene alternativa. Cuidado, allá viene una serpiente, previene. Después del arbusto cruzamos, calcula.

Hay serpientes de serpientes. Uniformados o de civil, los policías van en sus motos pensando en sus negocios. Debo pasar por donde el portugués, repasa uno mentalmente rodando entre buhoneros y pasajeros que saltan de improviso de los buses. Me le voy a poner serio porque la semana pasada me rebotó, decide. De ahí paso por la tienda de celulares a buscar el depósito, y del banco me voy a la casa[6]. Absortos y hastiados del calor y del humo, incapaces de ver las miles de pequeñas faltas que se cometen en torno suyo y que convierten a Caracas en una babel de ruido, violencia, desconfianza y mala fe. Faltas que van alimentando gota a gota ese *tsunami* que en cualquier momento caerá sobre nuestro valle, poniendo orden a este viejo entuerto que acaso tuvo solución cuando sus nobles límites eran la quebrada Catuche, el Guaire, el Ávila y la Roca Tarpeya.

Mariela tiene 35 años. Tiene una hija de doce y un poco menos de ese tiempo de divorciada. La inteligencia de su hija es su gran orgullo. El capítulo "casada", su peor chasco. Todos los días, desde hace seis años, una rutina la sujeta a la vida como el dinero al poderoso: Se levanta, se baña, despierta a Andrea, prepara el desayuno, se visten y salen a retar a la vida en ese campo de juego que es la calle.

El primer hito es ganar la acera opuesta. ¿Sencillo? La

---

[6] Los más modestos. Los realmente ambiciosos se meten en asuntos serios, como secuestrar gente, manteniéndola retenida en la comisarías.

pasarela está a doscientos metros. El semáforo, un poco más allá. Y el Laberinto minado de Serpientes. ¿En qué estarían pensando los planificadores encargados de que su vida fuese, ya a las seis y treinta y cinco minutos de la mañana, una ruleta rusa cotidiana? Las estadísticas son escalofriantes. De ahí el stress. De ahí la cosmogonía del laberinto. De ahí el sentirse triunfantes ante el simple hecho de colocar sus pies en la otra acera. Triunfantes, y agotadas.

Pero no se queja. Sabe que podría vivir en Guarenas. O en Cartanal. O en San Antonio de Los Altos. O hasta en Maracay, como uno de sus compañeros de trabajo. Tan sólo doce estaciones del Metro y lleva a la hija al colegio, y con seis más ya está en la oficina desayunando. Sabe que es una privilegiada. Quejarse sería una descortesía para con los que ya tienen un par de horas rodando cuando ella apenas abre los ojos a un nuevo día.

Atravesando el calendario escolar como lo haría un explorador por territorio hostil, Mariela y Andrea cruzan el laberinto día a día para llegar al otro lado. Día a día, sintiéndose veteranas de una guerra que expresa sus bajas en cifras que rondan el millar cada año. Un millar de milagros anuales, durante seis años.

Y así, Andrea culminó su sexto grado.

Esa mañana de domingo corroboró aquello que afirma que la ansiedad es el despertador más eficaz. Se bañó, se vistió, se perfumó y hasta decidió peinarse ella misma, frente al espejo. Metió las puntas superiores de sus orejas debajo del cabello (ya se sabe, las chicas y sus complejos) antes de apretar con firmeza la cola que se hizo. Después del acto, las vacaciones, pensaba. Y después, eso excitante y lejano que se llama liceo.

Esa mañana no era para ir en Metro. Apenas pararse frente al laberinto se sintieron con suerte: Un taxista les tocó corneta desde el otro lado, esperándolas. Andrea se aseguró de que la vía estuviese despejada y se bajó de la acera.

No tuvo tiempo de entender que esa espléndida mañana caería su *tsunami* personal. Un aturdimiento precedió al susto y este al dolor. Voló unos segundos para aterrizar aparatosamente,

sin aire, un par de metros más allá. Su inmaculada blusa blanca se manchó del rojo que salía de su boca. Las manos resultaron inútiles para contener tanto color. Junto al aliento recuperó el audio, y escuchó su propio llanto y los gritos de Mariela. Se preguntó si todavía estaría durmiendo.

(Si era así, debía despertarse, porque ese día sería el acto de grado.)

La Serpiente rodó un par de metros antes de caerse estrepitosamente, haciendo rodar a su conductor, quien apenas tuvo tiempo de mirar la escena que provocó unos metros atrás. Una niña de unos doce años se incorporaba llorando asustada, con la blusa y la cara ensangrentadas. Una mujer joven la auxiliaba mientras recogía del piso algo pequeño que debía ser muy valioso. La Serpiente, con su algo esquivo de cuidado-y-te-equivocas, recompuso sus partes y, dando dos o tres patadas a la palanca que hace accionar el motor, alzó el vuelo devenida en gárgola, para perderse entre los recovecos del laberinto.

El taxista, un viejo fuerte y sesentón de guayabera y gorra, se bajó del carro y cruzó de prisa la calle, pensando cuál sería el hospital más cercano. Menos aturdida y más asustada, Andrea pudo sentir el grito de cada uno de sus huesos. El taxista la cargó mientras decía a Mariela que en diez minutos estaban en un hospital. Andrea nunca había cruzado el laberinto desde el aire. El taxista no cobró la carrera.

Días después, desde el hospital, Andrea incorporó los Héroes a su cosmogonía personal.

PARA HACER REÍR A DIOS

Los modos preferidos de Caracas son infernal y pesadillesco. De día atormenta y de noche aterra. El que se queje del corneteo, de los carros sobre el rayado y de los buses recogiendo pasajeros donde les viene en gana, le convendría quedarse en casa en cuanto el reloj se acerque a las diez de la noche.

El que esté harto del infierno que mejor no conozca la pesadilla.

Presta atención, aguza el oído, afina la vista. Olfatéala en el aire ¿La sientes? Siempre está ahí. La Muerte es de los pocos servicios a tiempo completo que tiene este valle que, visto con la suficiente distancia, engaña cruelmente con su belleza.

De lejos, generalmente fresco y cubierto de verdes y azules que conmueven. De cerca, desde adentro, desde la pegajosa mancha de la acera y la oscuridad del poste apagado, es el decorado de historias que tatuarán en el alma del no iniciado una indeleble certeza: mejor es no asomarse.

Allí, cuando te confías, aparece la Ama y Señora de estos predios, febril y hacendosa con sus turnos de 24 horas, incluyendo feriados.

¿Quién, además de la Muerte, podría estar trabajando un 25 de diciembre, cerca de las dos de la mañana? El solitario conductor de un Aveo gris, que bajaba por las calles de Manicomio, juraba que los empleados de la estación de servicio PDV Sucre. Así lo aseguraba al menos su gran letrero luminoso destacando la frase 24 horas. Por recordar eso fue que esa madrugada, luego de celebrar con sus hijos y su esposa, y de pasar a saludar a unos amigos que vivían cerca de su casa, en la calle Termópilas en La Pastora, bajó hasta la avenida Sucre a cambiar el caucho delantero izquierdo, que estaba perdiendo aire. Quería tener el carro en perfecto estado porque planeaba llevar a la familia a la playa en cuanto amaneciera.

Dicen que si quieres hacer reír a Dios sólo debes contarle tus planes.

Los vecinos de la estación de servicio escucharon cinco detonaciones de un arma automática. Quienes las escuchan rutinariamente saben diferenciarla de, por ejemplo, los fosforitos. Un sonido (más bien dos por vez, apenas diferenciables) metálico y seco, como si se fracturara algo en el aire. Un sonido que escuchado de cerca activa alertas. Los celulares de los chicos que estaban en las calles cercanas comenzaron a repicar. ¿Qué? Sí, yo oí, pero no fue aquí. Sí, yo estoy mosca, tranquila... fue más o menos la secuencia con la que despacharon a sus madres.

Inmediatamente después de los disparos, un par de motorizados con sus respectivos parrilleros doblaron con prisa en la esquina de la estación de servicio con dirección a Manicomio.

Y se los tragó la noche.

Tres hipótesis (en ausencia de testigos) bifurcan la linealidad de la historia: a) Lo andaban buscando y lo encontraron; b) lo iban a atracar y el alcohol lo volvió invencible, o c) le iban a quitar el carro y, al descubrir que tenía un caucho malo, pagaron su frustración con la víctima.[7]

La gente que se asomó a sus ventanas luego de aplacados los tiros, pudo ver un Aveo en la cauchera con la puerta del conductor abierta y las luces intermitentes encendidas. Junto al carro, el cuerpo de un hombre moreno, joven, de contextura gruesa, acostado boca abajo, mientras un lago oscuro y espeso salía de su cuerpo.

En ese trayecto de varias cuadras entre su casa y la estación de servicio nadie lo vio, acudiendo puntual a su cita, mientras atravesaba calles apiñadas de casas con ventanas festivas, puertas abiertas y muchachos jugando en los callejones.

Quizá ya estaba fuera del tiempo y no lo sabía.

Los zamuros son animales cobardes. Divisan a su potencial víctima por la ausencia de movimiento. Una vez detectada, van

---

[7] Una cuarta hipótesis plantea que, en medio de la oscuridad, no notó, al bajarse del carro, a los cuatro hampones que estarían forzando la oficina de la cauchera. Al sentirse descubiertos, lo abatieron y huyeron.

cerrando los círculos de su vuelo, de a poco, hasta que la certeza los anima a aterrizar. Se sitúan a una distancia prudencial y se van acercando con demorada cautela, hasta que dan picotazos al cadáver abandonado por algún depredador satisfecho. ¿Será por tan innoble proceder que no hay equipo deportivo llamado los Zamuros de Ningunaparte?

Los tres zamuros que salieron a escena procedieron con idéntica maña. Se acercaban por turno al hombre agonizante y volvían a conferenciar al sitio en el que se reunían. Cada vez más frecuentes, cada vez más cercanos, hasta que uno de ellos llegó junto al cuerpo aún tibio. Convencido al fin de que no había peligro, tras un breve paneo en torno, trasladó la cartera del bolsillo del moribundo a la suya. Luego echaría una fugaz mirada al interior del carro y, al no detectar nada de valor en su superficie, se alejó en dubitativo vuelo.

Como suele suceder, la Policía llegó después de mil llamadas de los vecinos. Cargaron el cadáver con inútil diligencia y llevaron el cuerpo a algún hospital (quizá a dos o a tres) antes de dejarlo en el de Los Magallanes, donde el lapidario diagnóstico sería el de costumbre: Ingresó sin signos vitales.

Se queja Sabina, en una línea de Eclipse de mar, que "el diario no hablaba de ti". No lo hará nunca, porque nunca dirá las cosas que íntimamente nos incumben. Ni siquiera se dignará a contar nuestros sucesos con la merecida precisión. Cosas de la prisa y la distancia, quizá. El 27 de diciembre, a dos días de la pesadilla de una familia en fecha tan recordable, luego de esperar en vela, de angustiarse y darse ánimo, de confiar y de derrumbarse ante los presentimientos, de pensar en presente en alguien que se volvía pasado a los pies de los zamuros que se hacían de lo único que hubiese facilitado identificar al cadáver, algún diario informaba, con la pésima redacción de una guardia de 26 de diciembre en la noche, que se presume "que lo asesinaron para robarlo, sin embargo sólo fue despojado de su cartera, las demás pertenencias entre las cuales estaban un celular Blackberry, 250 en efectivo y el carro fueron dejados en el sitio".

Devolviendo las cosas de playa del bolso a sus gavetas, la viuda planeará mudarse de esa zona. No soportará la idea de caminar por esas calles sin saber si se tropieza a diario con el que acabó con la vida de su marido. Su cuñado, alimentando una rabia que no lo dejó llorar, planeará minuciosamente lo que hará con los asesinos en cuanto dé con ellos. En el patio de la casa quedaron apilados varios sacos de cemento. El occiso planeaba tirar la platabanda para hacer en el segundo piso un cuarto más grande para los muchachos.

Ajena a los planes de los hombres, la Muerte seguirá haciendo su incansable trabajo. A los oídos de Dios (su socio), seguirán llegando esos planes.

Y se le hará tan difícil reprimir la risa.

EL APARTAMENTO DE ALTAVISTA

La señora lo cuenta como si hubiese ocurrido hace menos de cuarenta minutos. Pero ocurrió hace más de cuarenta años. Lo cuenta y se pone tan bella como cuando tenía veinte. "Aunque creo recordar que aún no los habíamos cumplido", aclara con sonrisa coqueta. Apenas se casaron consiguieron un apartamentico en Altavista. "Eso fue en 1963. En esa época se podía vivir tranquilo por esa zona —recuerda—. Hasta paseábamos por los alrededores en las tardecitas". Y evoca los carros, las tiendas y las vecinas que veían en ellos pasar la propia inocencia marchita.

El apartamento se veía tan bello, aunque la verdad es que lo único bonito era lo enamorados que estaban, y que el sol entraba por las mañanas precedido por cantos de golondrinas alborotadas por la lluvia. Es decir, era perfecto. Sólo tenían un box, que les regaló la suegra, y la cocina.

Un día, resueltos a equipar la casa de sus futuros hijos (él decía que quería como cuatro y a ella le bastaban dos) se metieron en La Liberal y se encapricharon con un juego de comedor y un recibo. Todo lo hacían porque les provocaba. Pagaron el primer giro y se los llevaron al apartamento que lo único que tenía de especial, como razona ahora, era que estaban enamorados.

¿Tú crees que yo me acuerdo si pagábamos los giros o no? Lo único que recuerdo era que por todo nos reíamos y que un día, en el preciso momento en que nos disponíamos a almorzar, llegó el camión de La Liberal y se llevó los muebles. ¿Que qué hicimos? Nos echamos a reír y a partir de ese día comíamos en la cama.

Será porque los recuerdos hermosos tienen una paleta de sesenta y cuatro mil colores, que fue la única que no se opuso a que la nieta se casara. Y menos por ese vulgar argumento de que no están económicamente estables.

Sabiduría, le llaman a esa capacidad de recordar lo bueno y lo malo, y encontrar siempre la manera de quedar con saldo a favor.

Una afeitadora de dos hojillas

Don't try to push your luck, just get out of my way
AC/DC

Señalaba Jonathan Jakubowicz, en una de las tantas entrevistas concedidas luego del estreno de *Secuestro Express,* que una de las experiencias más impresionantes durante la filmación de esa película (palabras más, palabras menos), fue haber pasado tanto tiempo rodando dentro de una camioneta repleta de armas, atravesando Caracas, sin haber sido detectados por autoridad alguna.

Es decir, ¿si no estuviesen filmando una película...?

Demos una vuelta de tuerca a la pregunta. ¿Cuántas escenas similares se ruedan a diario en Caracas sin que ninguna autoridad detecte actividad sospechosa en ello, ni se escuche jamás el clásico "¡Corten!" del director?

Ese es el punto.

El problema de la violencia en Caracas no es la gran cantidad de armas-en-manos-de-civiles (que ya es un problema), sino la gran cantidad de armas-en-manos-de-civiles que no están sujetas a control ni a forma alguna de detección.

Y, en último caso, el problema de la violencia en Caracas es sí, el anterior, subrayando que estamos hablando de nosotros, de sangre caribeña, de demasiado calor y ruido como para ejercer el hábito de la reflexión. Estamos hablando de un pueblo poco cultivado en el arte de convivir con respeto y de gente que acumula sus decenas de rabias en ese lapso que va entre quitar y poner su cabeza sobre la almohada. Estamos hablando de la cuna de la expresión no me calo malandreo de nadie.

En ese contexto, el sorteo diario que se canta en Caracas (te gusten o no los juegos de azar) no es de la lotería del Táchira ni de Oriente ni de Zulia.

Es el de la Balaperdida.

Y si ya ese es un problema con el que se lidia a diario, ¿a qué fin buscarse una bala con entrega inmediata, una bala voluntariamente personalizada?

Por eso, si alguna sensatez roza la sabiduría en esta ciudad aturdida, es la de no anotarse en ambas rifas a un mismo tiempo: la de las balas perdidas y la de las hechas a la medida. En la primera todos estamos anotados, queramos o no.

O sea, es una afeitadora de dos hojillas.

Martes. El reloj se acerca a las doce de la noche. La estación de servicio está a oscuras. El depósito de la cauchera está abierto. El cauchero toma cervezas en la gasolinera con un avance que está lavando su microbús, como si estuvieran en el patio de su casa. Un flaco va pasando y siente que no puede dejar pasar ese negocio. Mide la distancia del cauchero al depósito y del depósito a la pared de atrás. Se dice que sí y resuelve llamar a un compinche. En menos de cinco minutos están preparando la incursión. En silencio, trepando por la pared, logran sacar dos cauchos nuevos hasta la calle de atrás. Resultó tan fácil que se ponen ambiciosos.

En cuanto los encaletemos venimos por más, diablo.

Si va, le dice el otro.

Un carro pasa. Al volante, un señor cincuentón, grueso, con chaqueta. Se detiene. No se ve muy atildado, pero pregunta de forma amable, por la ventana.

¿Qué pasó, chamos? ¿Y esos cauchos?

Uno de los flaquitos, más rápido que el otro, contesta sin levantar la vista:

Los compramos.

¿Los compraron?, pregunta el viejo afable. Aprieta un botón que abre la maleta y en un rápido movimiento está afuera. Ahora es un señor bien vestido que lleva en la mano un pistolón larguísimo. Negro como los presagios. Con esa mano señala hacia atrás.

Está abierta. Pónganlos ahí y se van al trote, antes que les queme el culo.

*

Miércoles. Cerca de las cinco de la tarde. Comienza la hora del ventilador. Todas las nenas que regresan de su trabajo pasan por esa calle. Un tipo va con la novia. Es una flaca bonita y nerviosa. Dos tipos entre treinta y cuarenta están parados en una esquina. De pantalón y chaqueta (en otra época entrompaban bancos, según dicen por ahí). ¡Pero qué muñecota tan bella!, comenta uno de los dos, y siguen conversando. La novia se indigna. El novio se indigna. Se detienen y manifiestan su indignación a viva voz. El novio (lo que hace un hombre por una mujer) tartamudea pero la complace. Su cara de gallo les da lástima. Casi risa. Se disculpan galantemente, advirtiendo que no fue vulgar su piropo. El novio insiste en hacerse el ofendido. Es un ping-pong que a los tipos se les antoja tierno, pero que los impacienta antes de finalizar el primer set. Comienzan a variar el amable tono de sus voces. El gago siente que está quedando bien parado ante la novia. Que puede pujar otro poco. Para los espectadores está abusando, pero él sabrá...

Va bien, hasta que ve dos cañones de guerra en formato portátil salir de las chaquetas. Los tipos educados tienen ahora una fría expresión asesina.

Te pierdes o te metemos taladro, que estamos viendo culitos.

*

Jueves. Diez de la mañana. Pocos puestos dónde estacionar, como siempre. La rutina es dar vueltas por el estacionamiento hasta encontrar uno. Menos mal que aquí la gasolina es más barata que el agua. Se desocupa uno y un carro se detiene unos dos metros delante y pone la caja en retroceso, para estacionarse. Es un tipo parsimonioso. Detrás viene un *baby-jama* en una camioneta. Vio el puesto y sintió que le daba chance de poner en práctica su viveza criolla. Aceleró y se metió de frente. El caballero, que no vio luz, se bajó ostensiblemente indignado.

¿Coño, tú no viste que yo me estaba cuadrando para

estacionar?, le grita.

Yo no, dijo el *baby-jama* con desdén, sacando el reproductor.

¡Coño, vale, tú si eres abusador! Le dice por la ventana.

Yo sí, respondió alegre, subiendo los vidrios eléctricos.

Tú sí eres arrecho, escuchó decir y lo vio perderse en dirección a su carro.

Escuchar una, dos, tres detonaciones y sentir que la camioneta se estremecía y se inclinaba a un lado fueron acciones encadenadas. Un par de tenazas heladas le apretaban el cuello al ritmo del corazón. Por el parabrisas vio que todo el mundo lo miraba con asombro. A través de un pito en el oído escuchó, antes de verlo, al flaco (que luego apareció inmenso, titánico), con un poderoso tubo negro en la mano, del que todavía salía humo:

Ahora te quedas con el puesto, pero buscas al cauchero, mamagüevo.

No se atrevió a moverse. Ni aún después de ver por el retrovisor al flaco montarse en su carro, dar un portazo y arrancar haciendo chillar las ruedas. Le gente seguía viendo y a él le daba pena salir a evaluar el daño.

Tenía el pantalón mojado.

*

Por eso, va un consejo (y este entra dentro de la promoción, pero el siguiente si se paga): calma el Caribe. Contén el gesto. Mide las palabras. Respeta al otro. Shhh, baja la voz, que es por tu bien. Pierde ese feo hábito de manotear. No te creas más pilas que los demás. Abandona esa fantasía de que eres el más malo. No mires así, largo y a los ojos, que macho no llega a viejo.

Demasiada, demasiada testosterona para alcanzar la cola de la pensión.

Que no te lo tengan que recordar, que aquí nadie habla dos veces: esto es Caracas. Noventa y tres por ciento de homicidios impunes. Cincuenta muertos por fin de semana. Decenas de miles de armas, legales y no, paseándose por la ciudad, invisibles debajo de camisas, asientos, chaquetas; dentro de koalas y morrales. Gatillos alegres, blancos pálidos. ¿Las cajas de balas?

¡Ja! Esas se cambian a pelo por unos cuantos gramos de perico. Y ese mercado no para.

Lo dice nuestra historia: si algo hemos producido en este país, es inútiles y ausentes arrechos. "Un minuto de silencio por el último arrecho".

Y es una cola larga.

¿Quieres aprender a controlar el gesto, a tener un carácter flemático, respetuoso del prójimo? Pásate unos días aquí. Caracas es una escuela gratuita, cuya oficina del director está en Bello Monte.

Y hay cola.

LA REPOSADA HIDALGUÍA DE UN MONARCA ANCIANO

a Manchas

La brusca sacudida de un camión rompió el silencio de la madrugada. Como si hubiese sido bruscamente liberado, un alarido cubrió todos los rincones de esa noche húmeda, arrancando a los vecinos de su sueño.

Ese es uno de esos sonidos ante los cuales nadie puede permanecer inmutable. La gente reconoce, en esa manifestación del dolor, su propia condición animal.

En la oscuridad del edificio cercano se inició una erupción de recuadros amarillos enmarcando siluetas. Una, dos, varias figuritas por recuadro, tratando de ubicar el origen del chillido. En la avenida se destacaba la solitaria figura de un aturdido perrito blanco con manchas canela intentando arrastrarse hasta la acera, sin que la mitad posterior de su cuerpo cooperara en lo absoluto.

Sería ideal continuar el relato con la escena de un vecino bajando a aligerarle, no sus severos traumatismos y fracturas, sino su soledad. Contar cómo le ofreció primeros auxilios y una manta. Pero la verdad es que la gente llega a su casa y se atrinchera. La gente común teme y recela porque ya bastante tiene con los *rounds* cotidianos.

Se entiende, después de todo esto es Caracas y no un decorado de película.

Al cabo de unos minutos las ventanas comenzaron a mimetizarse nuevamente en el gris luna del edificio. Se viese desde donde se viese, el diagnóstico era el mismo. El daño lucía severo, irreversible. Al perrito sólo lo callaría la muerte, sentenciaban resignados antes de volver a la cama. A desear, piadosamente, que fuese breve. A intentar arañar los restos del interrumpido descanso.

A la mañana siguiente, para sorpresa de los vecinos, el cachorro seguía vivo. Formalmente vivo. Aunque, evaluados *in situ*, los daños lucían todo lo severo que sospechaban desde sus ventanas. O quizá más. Sin embargo, según las cuentas, tanto el perro como el tema del perro difícilmente pasarían de ese día. Mientras todos coincidían en ello, postrado en la esquina a la que había logrado arrastrarse (todavía empapado de lluvia), los veía pasar desde ese tránsito del aturdimiento a la resignación.

Y, con todas las apuestas en su contra, se acercaba a la noche, impasible, recogido en su silencio. Sorprendidos de su fortaleza, antes de culminar la jornada y retirarse a sus casas, los muchachos del autolavado se compadecieron y le dejaron dos platos improvisados a tiro de hocico: uno con un poco de arroz con carne molida, y otro con agua.

Era una de esas frías noches de febrero. Llovió uniforme y empecinadamente hasta que amaneció. La mitad del cuerpo del perro quedó expuesta a la lluvia, a pesar de los cartones con que lo cubrieron. Y ni siquiera por eso gastaba energías en moverse.

Cuando el sol logró colar sus primeros rayos a través de la espesa capa plomiza de las nubes, el perro seguía ahí, mojado y desconcertado. Apenas dando los movimientos imprescindibles para administrar el pedacito de vida que aún lograba sujetar.

Llovió duro y con frío durante las tres noches siguientes. Antes de las nueve, las calles ya se quedaban desiertas. A las diez, en los apartamentos cercanos, la gente se preparaba para dormir, se amaba rabiosamente, veía televisión, peleaba, se amenazaba con un amor eterno o con una ruptura irreconciliable, y hasta le hablaba a la soledad de las paredes. Todos al abrigo de esa lluvia helada.

De cuando en cuando algún alma compasiva se asomaba a la ventana y, luego de observar un rato al cachorro, movía la cabeza con triste resignación. Y trataba de olvidarlo.

Y seguía amaneciendo y seguía lloviendo y su vida insistía en aferrarse a ese cuerpo. Ya pocos viandantes reparaban en él. Los que lo hacían, los que se asomaban a sus ojos, se encontraban con

la más penetrante definición de la palabra soledad. Una joven esposa, colmada en sus hormonas de sentimiento maternal, no pudiendo aguantar más la escena de esa callada lucha contra la muerte, le dijo a su marido que buscaría a un veterinario "para que lo duerma".

—Repite eso imaginando que estás frente a un veterinario para ver si te suena razonable —fue la respuesta del marido. ¿No ves que ya se está "durmiendo"?

Pero la vida está llena de peros que siempre dan motivos para querer leer el siguiente capítulo. En ese siguiente capítulo el perrito sorprendió un día a los vecinos animándose a arrastrarse para protegerse del sol o la lluvia. Otro día se puso en pie. A los pocos, asombrosamente ya renqueaba y daba cortos paseos. Y cuando ya los vecinos juraban que el portento se había consumado y se resignaban a que ese cómico garabato renco sería un vecino más de la zona, poco a poco logró articular sus patas traseras.

A ese afán por no querer arrastrarse le llaman dignidad.

De pronto se le vio sumarse a las bandas de perros callejeros en sus malandros paseos por la avenida, y hasta participar en las contiendas por satisfacer el ciclo de la vida. ¿Qué astuto dios es ese que asegura mayor presencia de machos en las jaurías callejeras para garantizar una descendencia de campeones?

Y creció robusto. Y se convirtió en un consumado *street fighter*. Y un día, como si ya hubiera visto todo lo que podía ofrecer la calle, comenzó a sentir apatía por acompañar la jauría que deambulaba por la zona. Lo alcanzó el tedio, la sensatez, la madurez, o sea lo que fuese que lo volvió sedentario y casero.

Y parecía feliz con esa decisión.

Las encrucijadas cardinales de nuestras vidas las atravesamos sin advertirlo. Ya son pocos los vecinos que recuerdan esa madrugada en que un perrito los despertó con sus aullidos de dolor. Y pocos asociarían a ese perro con trazas de cierto linaje develadas en su porte, con aquel perrito que nadie se explica cómo fue que no se murió.

Quizá aquella noche se estrenaba en la calle. Quizá un

movimiento inesperado lo arrancó para siempre del hogar en el que vivía. Quizá alguien decidió torcer su destino. Lo cierto es que esa otra vida que tuvo antes de ese accidente debe atravesar sus recuerdos como un sueño confuso, como un inusual ejercicio de imaginación.

En la zona lo ven como un miembro más de la comunidad. Es, más bien, una responsabilidad colectiva que ejecutan la señora de la papelería, el mecánico del negocio contiguo y los muchachos del autolavado. Presumiendo que ya lo tenía, nadie se animó a ponerle nombre. Su comunicación con él se sustenta en tres voces: "¡Ya!", cuando excede su celo en mantener a raya a los piedreros; "¡Ven!", cuando llega la hora de la comida, y "¡Sale!" cuando toca cerrar los negocios. Esas tres palabras inalterables, repetidas día tras día, renuevan y consolidan el contrato afectivo. Corresponden a decir: tal como hoy y ayer y antier, mañana también estaremos aquí.

Hace años encontró en ese pedazo de acera su hogar. El que se detiene a observarlo, ve en esa mirada algo majestuoso y hondo. Ve la panorámica de una vida que, a este lado del camino, expresa un complejo sentimiento humano. Es algo conmovedor que si habría que darle nombre, sería sabiduría. La sabiduría de haber entendido algo, después de todo. Algo que le da a su semblante la reposada hidalguía de un monarca anciano.

El que alguna vez reconoció en aquel alarido su propia condición animal; se estremece al reconocer en esos ojos su propia naturaleza humana.

¿Y A TI NO TE GUSTA EL REGGAETÓN?

Hay en las óperas de Cherubini un soplo revolucionario raramente alcanzado en el debate político. Joplin, Dylan o Hendrix dicen más sobre el sueño liberador de los años sesenta que ninguna teoría de la crisis.

Jacques Attali

Oeste profundo de la ciudad. Unos tipos del color de la acera buscan con desespero entre bolsas de basura. Cada bolsa abierta sangra un líquido entre amarillo y marrón, viscoso, que riega un charco pegajoso. Los perros esperan que los monstruos grises de ojos de rata abandonen el botín para echar un ojo. O una nariz. Cuando consiguen algo comestible, lo despachan de inmediato. A diferencia de los perros, los otros se ayudan con las manos. Según cuenta Paul Auster, en Nueva York, M.S. Fogg les ponía nombres pintorescos y crueles: restaurantes cilíndricos, cenas de la suerte, paquetes de asistencia municipal... Pero eso es en Nueva York. Aquí la basura se amontona en las calles y el que quiera tentar la suerte puede darle a manos llenas. ¿Quién dice que no hay abundancia?

Unas chamitas, de unos trece, catorce años, caminan por la calle y se detienen en las esquinas. Están gorditas. La mala alimentación está causando estragos en las arquetípicas formas de las venezolanas. Usan unas falditas cortísimas y de la cotica se asoman sus precoces barriguitas morenas. En los alrededores de la bomba[8] hay varias bandas. Llegaron como a las seis, cuando volvían del trabajo, y se fueron agrupando. Ya son las diez y siguen ahí, aunque ya cerraron La Tiendita. Temprano, cosa rara. Parece que la Guardia quiso aumentar la tarifa y no alcanzaron ningún acuerdo con los dueños. Entonces, les aplicaron la ley.

---

[8] Ese es, quizá, uno de los venezolanismos más insólitos de cuantos tenemos. Bomba es estación de servicio, o simplemente gasolinera. Salvador Fleján lo expone acertadamente en su cuento "Ovnibus" cuando un venezolano, rodando por una carretera de Florida junto a algunos lugareños, pregunta: "¿Cuánto falta para una bomba?" Eddy se asustó. "Bomba" le sonaba más a tipos con turbantes y ametralladoras, que a la mezcla vernácula de gasolina con agua, sándwich de pernil y ositos de peluche".

Unas señoras, que seguro trabajan en oficinas del Este, con las últimas perolas en la mano, están sentadas en los muritos de los alrededores de la bomba de vidrieras dormidas. La oferta gastronómica en torno a ellas es variada: pinchos, perros calientes, parrillas, alochinolumpia. Y los comensales son agradecidos y generosos. Una pareja come sobre el asiento de su moto, sentados en unos banquitos. Si es por ellos, podrían estar en cualquier exquisito restaurante del Este y el ambiente sería el mismo. De cuando en cuando estalla un peo y nadie, más allá de echar un ojo y estar alerta al momento de agachar la cabeza, parece conmoverse especialmente ante ninguno. En media hora se caerán a botellazos unos borrachos, en una hora pelearán dos jugadores de caballos, en hora y media dos piedreros dirimirán la propiedad de una plancha como se hace cuando se acaban los argumentos, en dos horas se darán dos pescozones por diferencias políticas.

Al otro extremo de la ciudad, a partir de esa hora, las discotecas comienzan a llenarse. Las chicas son todas idénticas: risa boba, *lolas* artificiales calcadas al formato estándar de las modelos de los videoclips de moda, tatuaje horizontal en la parte de abajo de la espalda, hilos que se ven cuando se agachan, pantalones que nadie se explica cómo no se caen, las mismas blusitas dejando ver los mismos ombligos perforados. El mismo tinte de cabello, el mismo maquillaje, las mismas estrambóticas uñas de mentira y las mismas cejas despobladas. Es el *look* perreo. O güircha. O loba.

Unos tipos con graves problemas de dicción y pobrísimo vocabulario, escupen a través de las cornetas amenazas acerca de lo que piensan hacerle en la cama a sus parejas ocasionales. A juzgar por el portento de la amenaza, sin Viagra parece poco probable que no estén fanfarroneando. Y que no vayan a quedar mal.

El que no tenga carro no levanta. Tarjeta que no *aguante coñazos* es mala compañía. Ahí todo suena tan real como la escandalosa firmeza de esos pechos que bailan. En ese ambiente soso todas esas amenazas suenan afeminadas. Los tipos que pretenden tener *tumbao* de chicos malos, suenan a comercial de Fortuna.

Volvamos al Lejano Oeste. A pesar de la hora y de que las licorerías ya están cerradas, un tipo decide bajar a la avenida a ver dónde puede comprar cervezas.

¿Puedo ir contigo?, le pregunta el hijo de unos doce años, que escucha reggaetón en sus audífonos.

El tipo hace un recorrido mental por las calles que se ha cansado de patear. Está a punto de decir que no. Luego prevalece el sentido pedagógico.

Vente, pues, le dice. Pero es tarde y tienes que estar mosca.

Salen a la aventura de patear calles malandras, como el que sale de excursión. Caminan entre montañas de basura y monstruos de estómago de zamuro. Entre motorizados malandros y policías malandros. Entre guerras de botellas y redadas de rebusque. Entre carajitas gorditas enseñando sus ombligos. El chamo camina apurado, en silencio, aterrado. El papá se percata.

¿Qué pasó?, pregunta.

Nada, dice el chamo, pero su cara hace tiempo que habló por él.

¿Y a ti no te gusta el reggaetón, pues? ¿Tú no eres un tipo duro?

El chamo intenta sonreír, mientras caminan, esquivando la violencia que pulula en torno a ellos como moscas en los basureros.

Son las tres, cuatro de la mañana. Los tipos con fantasía de duros, las tipas con fantasías de *cachorritamamá,* salen de las discotecas. Atrás dejaron la fantasía de perreo y el contenido de sus carteras. También dejaron la dureza. En las calles, trasnochadas y borrachas, se ven patéticas. Patéticas a secas, sin ningún adorno. Ya la pinta no aguanta una foto. Como las papitas de McDonald's, se desinflan, se marchitan en cosa de horas. En breve las cornetas se apagarán para dormir, hasta esa noche. Mientras tanto, el reggaetón de verdad, el que sangra y pasa hambre y alucina con sustancias baratas que intoxican el organismo, dejó al otro lado su reguero de pólvora, sangre, locura...

Cuando el chamo explorador regresa a salvo a su casa, no volverá a escuchar con la misma inocencia esa música barata y

monótona que está de moda. "¿Y a ti no te gusta el reggaetón?", escuchará de la voz de su papá.

¡Ese viejo sí es rata!, comentará sonriendo, mientras de sus audífonos escapan malandros, basura, piedra y botellas rotas. Es decir, lo que de verdad es y no sólo lo que se cree ver.

Como en un Aleph de pesadilla

Yo siempre viví en la boca del diablo:
naciendo, muriendo y resucitando
Fito Páez

Nadie escoge la vida que le toca. Nadie escoge las circunstancias ni el momento en esta película de función continua. Atravesar la ciudad todos los días a cambio de un tímido salario, por ejemplo, no es una escogencia. Por no haber tenido tiempo de detenerse a pensar demasiado en eso, Adelaida lo había estado haciendo durante los últimos treinta y siete años de su vida.

Tampoco es que haya sido una gratuita insensatez. Es que cuando los especialistas le dijeron que Juan Ernesto alcanzó a los siete años su tope de desarrollo intelectual, entendió claramente que le dijeron Olvídate del relevo generacional, por lo que optó por no pensar más en el tema.

De eso hace suficiente tiempo como para haberse acostumbrado.

Que, bien visto, acostumbrarse también es una forma de escoger.

Su día empieza a las cinco de la mañana. Camino a la estación los inquilinos de la acera duermen como bolsas de basura. En grupos sobre periódicos, en bancos de concreto, en escalones de acceso a edificios públicos, en rincones escondidos, ese caos silente que componen semeja la tregua de un virulento combate.

Pero con mugre donde debía haber sangre.

Se les ve en cualquier parte. Duermen al descampado. Los arropa, enorme como la carpa de un circo, la perorata política que se adueñó de los medios, de las acaloradas discusiones en las esquinas. De los pensamientos.

Debajo de esa carpa, sepultada más que escondida, palpita Caracas. Y debajo, está la ciudad invisible a esas peroratas: La

comuna de niños callejeros de Los Dos Caminos, por ejemplo. O la comarca de piedreritas (flacas hasta la grima, sucias hasta la lástima) que pernoctan entre Santa Rosa y Quebrada Honda. O cualquiera de los refugios de víctimas radiactivas en que se convierten, apenas las atraviesa la medianoche, las avenidas salvajes de Caracas, las bases de los elevados, los alrededores de algunas estaciones de Metro...

Adelaida es tostada y seca. Huesuda. La edad le resbala por sus formas magras. Siempre se supo fea. Bueno, no siempre. Ese no siempre le duró poco, y ese poco vive ahora en un plano que tiene la textura de los sueños. Va en el Metro con su muchacho. Lo lleva a consulta. Después de casi treinta años en esa rutina, el único relevo generacional que ha conocido es el de los médicos que lo han tratado.

Juan Ernesto observa todo con genuina curiosidad. Tiene un bigotito preadolescente y, aunque ya se está quedando calvo, su timbre de voz es una flauta púber. Su aspecto es un coctel hecho con formas que se pasmaron con otras en declive. Conversan y juegan y sus reacciones calzan con la edad que los especialistas calculan a su cerebro.

Ella, ni qué decirlo, está enamorada. Es una esclava dichosa que tiene que vestirlo (los pantalones sobre la cintura lo delatan), pero tiene más que muchas mujeres que conoce: un muchachote que nunca se le va a ir con otra. Es, como se dijo, una madre enamorada.

Y él, un feliz niño viejo.

Ella conversa con una señora y él juega con el celular que ella le regaló en su cumpleaños. Barato pero con muchos colores y un par de juegos. Van a visitar a su amigo el médico. Su mamá no fue al trabajo y no hay prisa. Escucha su voz hablando y riendo y siente su mano reposando cálida sobre el muslo, como si la vida silbara una canción conocida.

El Enano no tiene Partida de Nacimiento y mucho menos Cédula de Identidad. Decir que nació en la calle no es una metáfora demasiado exagerada. Es una afirmación prácticamente literal.

No tiene edad oficial ni día de cumpleaños. Debe tener un poco más de diez, pero su aspecto desafía todo parámetro sensato.

Como se ve, la calle está llena de insensatos involuntarios.

Su rutina diaria es pedir dinero en el Metro. Nominalmente, porque tiene un ojo prodigioso para las partes blandas. Nadie como él para notar una lonchera descuidada, un Blackberry a tiro, un cierre de cartera parcialmente abierto. El hambre inagotable es el más ardiente de los estímulos. Un diálogo íntimo de poderosos instintos en el que no media el intelecto. Como los grandes cazadores: hambre y ojo, hambre y músculo, hambre y garra...

Esa mañana despertó con el hambre afilada. Es decir, con los instintos afilados. Tanto, que apenas entró al vagón sintió una sensual brisa tibia en los costados halándolo con insistencia en una dirección.

Oteó por todo el vagón para anticiparse al sitio que lo arrastraba...

Y de pronto lo vio.

Un regalo de la calle, no muy dada a ternezas. Era todo partes blandas. Casi invertebrado. Jugaba con un teléfono con tal nivel de vulnerabilidad que parecía una trampa. Pero, como se dijo, en esa coreografía del ataque no media el intelecto, sino el impulso.

Presto al ataque, se acercó pidiendo dinero sin quitarle la vista de encima. Esa vista lateral, que no ve sino que vigila.

Dicen que los ojos son las ventanas del alma. Cuando sus miradas se cruzaron, Juan Ernesto se asomó a esas de la que Adelaida, que mantenía en él su último bastión liberado de la mierda de la vida, lo había estado protegiendo durante casi treinta años.

Al hacerlo, como en un Aleph de pesadilla, Juan Ernesto vio (descubrió) calles oscuras, infinitos recovecos invariablemente sucios, sexo escondido y sexo forzado, algo detrás de un árbol que no se ve bien pero que asusta, montañas de basura, un borracho en el piso pidiendo auxilio, medio perrocaliente en un pipote, unas ratas robustas comiéndose vivo a un cachorrito de gato, una cartera vacía tirada en la cuneta, caras tensas que

evaden proximidades, los escondites que guardan los tesoros robados a los transeúntes, dedos que amenazan, patadas sobre la cara, un palo haciendo swing, tipos de azul acercándose con caras de risas torvas, tipos llamando detrás de un rincón con caras ávidas, un tambor retumbando en los oídos queriendo decir no vayas, manos hurgando entre bolsillos, batidas a puñal que no siempre se ganaron... Y los curiosos dibujos que hace la sangre sobre la acera.

En tanto se acercaba, en tanto esos dos universos invisibles convergieron, Juan Ernesto comenzó a sentir un mareo y una cosquilla en el cuerpo que iban resultando en espasmos imposibles de controlar. La cara de El Enano tenía una sonrisa que no se parecía a las del médico ni las de las amigas de Adelaida. Era risa en la boca pero rabia en los ojos. El Enano le quitó el celular con tal seguridad, que cuando Juan Ernesto entendió que de ello dependía que se fueran los temblores, se alegró de entregárselo.

En la calle dicen que El Enano tiene futuro. Nadie como él para medir los tiempos. Arrebatarle el celular y que el tono de cierre de puertas estuviese en la cuenta regresiva fue una perfecta puesta en escena. El hijo de Adelaida vio al niño con su teléfono en la mano a través del vidrio. Vio la puerta cerrarse y entendió de golpe qué significaba la expresión para siempre. Escuchar a su mamá preguntarle dulcemente qué pasó fue cerrar, como las puertas del vagón, esa ventana que le dejó todo el zumo agrio del lado de adentro del corazón.

Tratando de respirar sumergido en esas aguas desconocidas, escuchó de manera entrecortada una voz de flauta explicarle a la mamá algo sobre un niño y su celular nuevo. Y escuchó también, a lo lejos, risas y cuchicheos que le producían un extraño ofuscamiento en el pecho.

¿Viste como se puso a llorar ese viejo?, comentó entre risitas ahogadas una chica a sus compañeros aprendices bancarios.

Y no te pierdas los pantalones, marica, comentó otra.

El resto del vagón no entendió por qué ese señor lloraba ni por qué esos adolescentes se burlaban de él.

Del aumento

A la chica nueva de Contabilidad, la que tiene un poco menos de seis meses en ese departamento, esa que va al trabajo con unas falditas que tienen enfermo a media oficina, la vieron el domingo en el Sambil.

Dos carajitos, uno como de cuatro y otro bebecito, informó un derrotado Salazar.

Están almorzando en el cuartito del microondas. En la tapa del aparato se lee la orden: "NO calentar sardinas", escrito con marcador en un cartoncito. Los demás no lo podían creer. Lo de la chica, claro. Salazar se sentía importante al soltar esa primicia. Esa tragedia colectiva. La primera reacción del grupo ante la noticia fue, arrugando la cara, de escepticismo: "¡Nooo! ¿En serio?".

Confirmado, dice el hombre, ufano.

Ramírez, el de computación, aferrado a un hilito de esperanza, preguntó:

¿No pueden ser los hermanitos?

Los demás soltaron la carcajada.

¿Y qué?, comentó el Gocho, Anaís, la de la recepción, está casada. El esposo la viene a buscar cuando se queda hasta tarde. Y esa carajita no debe tener ni veinte años.

Todos se pusieron sombríos. Esa sí que era una triste noticia: ¿Anaís? La morena linda de ojitos negros. La de los pantalones que abrazan una cinturita de juguete. La de las perfectas manos pequeñas... Anaís, una melodía que se cantaba con gusto y que significaba esperanza. ¿Anaís? ¡Qué cagada! Anaís...

Dos malas noticias en un mismo almuerzo. Era demasiado. Al menos para Ignacio, que se había decidido, finalmente, a invitarla al cine ese viernes cuando cobraran. Ignacio, que tenía meses cazándola. Ignacio, el abatido. Ignacio...

Y hablando de cobro, deslizó dispuesto a que todos se sintieran como él, escuché que el viejo no va a pagar el aumento todavía.

La noticia se había colado de la reunión que había tenido el

dueño con el departamento de Cobranzas. La misma lloradera de siempre: que los clientes no pagan, que la cosa está dura, que ha tenido muchos gastos con la enfermedad de su señora (como si eso fuera problema de los que trabajan ocho horas diarias todos los días), que con este loco que tenemos (y todo el mundo sabe, por supuesto, a quién se refiere).

El viejo no soporta al que te conté. Ni en pintura. Pero cada vez que llama a reunión no deja hablar a nadie, se encadena como dos horas[9], vive hablando de austeridad y cada cuatro meses pasa dos semanas en España visitando a la hija, y...

Y siempre termina imponiendo sus puntos de vista.

Ajá, y cada vez que toma una decisión, dice que hubo profundas consultas, jajajajajaja, ríen con amargura de sus mismas gastadas ocurrencias.

Sí, que se llegó a un consenso entre todos, ataja Salazar.

Que a él le importa mucho la opinión de "mi gente", remarca Ramírez, riéndose con los ojitos, como lo hacen todos los maracuchos.

Todos los demás se ríen con toda la cara. Pero es una risa amarga. Es una risa de coñuesumadre ese viejo. A dos días de la quincena. Luego de haber hecho planes y de haberse endeudado con ese dinero.

Alejandro, que hasta entonces había estado callado, dando cuenta de su pasticho, guarda para el último momento la bomba mayor. Apenas alza la voz:

No va a pagar el aumento ni esta quincena ni la otra... Ni nunca.

Hubo un silencio unánime y pesado.

Ese viejo se va a declarar en quiebra y se va a quedar con los reales.

---

[9] De hacer o montar "cadena". Término difícil de explicar, y más aún de asimilar para el que no lo conoce, que significa obligar a todas las emisoras de radio y televisión de todo un país, a "encadenarse" a la señal de la televisora estatal (esto es, transmitir conjuntamente), sin ninguna forma de compensación por las pautas y obligaciones comerciales no cumplidas durante la emisión de "la cadena". El venezolano lo traslada al habla cotidiana en forma de reclamo, cuando alguien pretende hablar sin escuchar: "No te encadenes", le espetan. Hay cadenas que han durado varias horas, tumbando invitados especiales y generando pérdidas millonarias a los productores de programas en vivo.

(Es fama: Alejandro pocas veces habla, pero cuando lo hace...)

Los demás, desconcertados, le preguntan con los ojos: ¿Y tú cómo sabes?

Él, acusando recibo de la pregunta muda, advierte como única respuesta:

¿Yo no vivo cerca de Mariana, pues?

Sin encontrar relación entre una cosa y otra, Salazar pregunta:

¿Y qué pasa con eso?

Que siempre me la encuentro en la parada y nos venimos juntos.

¿Y qué pasa con eso?

Alejandro, impaciente, suelta:

¿Cómo que qué pasa, güevón? Esa carajita sale con el viejo desde hace como un año. Ella me lo cuenta todo cuando venimos. Que se la pasa regalándole vainas caras y prometiéndole que se va a separar de su esposa.

¡Qué discreción! Ninguno de los otros, tan chismosos que son, lo sabían. José Antonio, con cara de espanto, dice lívido, soltando la cuchara sobre el plato y llevándose las manos a la cara:

¿En serio? Verga, yo sí he hablado pestes de ese viejo delante de esa chama.

Alejandro ríe de nuevo, brevemente, y lo tranquiliza:

¿Y qué pasa con eso? Ella también.

Secuestro express en azul

Son casi las cinco de la mañana. La calle aún está sola. Ya se dejan ver los primeros sonámbulos en las aceras. El cielo tiene el color de una inminencia. Todavía hace frío en la madrugada caraqueña. Un tipo va en una descascarada Van Dodge. En la soledad de la madrugada, intenta una maniobra tan inocente que ni en la más pesimista de sus divagaciones cabría imaginar las consecuencias que le produjo: rodar en sentido contrario un tramo de un par de metros para empalmar con una calle que sube (la alternativa legal para subir por esa calle sin comerse la flecha, le agrega a su recorrido unos 600 metros; y el venezolano, hay que decirlo, no es demasiado apegado a las leyes).

En un país en donde nadie respeta las señales de tránsito, no podía suponer que al dar ese pequeño viraje en sentido contrario, se iba a encontrar, de frente, con su aporte a las estadísticas negras acerca de la percepción que tienen los ciudadanos de las instituciones, representada en la figura de un jeep de la Policía de Libertador[10].

El equipo policial que viajaba dentro de la unidad estaba compuesto por: 1) una trigueña bajita de cabello teñido en el asiento de adelante, 2) una morena silenciosa de prominente grupa (eso se sabría después) y 3) un flaco alto y taciturno, al volante. La de cabello teñido, por las ínfulas y por la altanería, parecía ser la que estaba al mando. A efectos de simplificar la crónica, llamémosle Gallinita. El somnoliento conductor era lo más parecido a eso que los muchachos suelen etiquetar como Platanote, Burrote, o Burro con sueño; y para no olvidarnos de la silenciosa morena de prominente grupa, llamémosle Vaquita.

Vamos ahora a la acción: el jeep, con Burrote al frente, le tranca el paso a la Van y le coloca las luces altas. Gallinita, con su enérgica e irritante voz chillona, grita:

---

[10] Es decir, del municipio Libertador (el que supone el corazón de Caracas), conocidos como Policaracas o Polimatraca, que es el nombre que más arraigo ha encontrado entre los caraqueños.

Apague el motor y bájese del auto.

Lentamente y con las manos a la vista, agregó.

Por la modulación empleada, el espectador puede inferir que siempre quiso declamar ese clásico parlamento de Hollywood.

Vaquita, desde el asiento de atrás, sólo observaba y rumiaba. El conductor se baja y allí comienza un veloz diálogo que pudo ser escuchado por los vecinos que se despertaron con el jaleo. Luego de un discurso institucional y seudo aleccionador sobre el respeto a las señales de tránsito (¡habrase visto semejante cinismo!), Gallinita le dijo, sin mayores prolegómenos, que debía pagar una multa, y algo en sus maneras, luego de mucha experiencia haciendo eso, dio a entender, sin palabras, que ella, la mismísima Gallinita, era (¿adivinan?) Agente Especial de Retención del Fisco Municipal (¿quién dice que la burocracia es una de las trabas del buen funcionamiento de las instituciones públicas?).

Nunca se sabrá si el ciudadano de la Van decidió que jamás daría su dinero a ese trío de rapicuiz; si es de esa rara casta de los escrupulosamente honrados o si de verdad estaba *pelando bolas*, pero lo cierto es que dijo que él reconocía que había hecho mal, juró jamás volver a pecar e imploró clemencia, aduciendo que él no tenía dinero para pagar una multa a esa hora de la madrugada.

Gallinita, consciente de que el que está en la calle a las cinco de la mañana es porque necesita rendir su tiempo, aplicó aquel viejo adagio capitalista de *Time is money*, por lo que montó una caraqueñísima operación morrocoy al minucioso chequeo de los documentos del ciudadano, como para darle tiempo a recordar dónde podía tener una *caletica*[11]. Éste, luego de unos quince minutos de pie, pasando frío, mirando otros carros hacer la misma operación que hizo él, mientras veía hacia adentro del jeep policial cómo se tomaban su tiempo para ejecutar los procedimientos, desesperado (o poniendo un toque de dramatismo al asunto, cosa de la que luego se arrepentiría), gritó que frente a sus narices otros carros estaban cometiendo la misma infracción, que él no tenía dinero para pagar la multa,

---

[11] Obvio: un escondite donde guarda algo de dinero para las contingencias. Tanto los ladrones que van directo a la cartera como los policías representan el 70% de dichas "contingencias"

que estaba apurado y que cómo era posible, por Dios (así dijo) que no entendieran que él llevaba prisa.

En ese momento a Gallinita se le subió el reciente nombramiento al pecho, y se bajó de la unidad gritando que "a mí tú no me alzas la voz" y que "ahora es que tú vas a saber" lo que era un procedimiento riguroso.

Se bajaron los tres del jeep. Se veían tan graciosos que parecían dibujos animados de animalitos de la granja disfrazados de policías. A mitad de quincena suele ocurrir, con esas guardias nocturnas, que el hambre que pega a esa hora, que las contingencias, que el sueldo nunca alcanza, que este es un trabajo duro e ingrato, que... en fin, les molestó que el ciudadano escogido para poner en práctica los preceptos socialistas para que les brindara solidariamente el desayuno, no estuviese muy dispuesto a cooperar (cuesta, cuesta hacer entender al venezolano que socialismo es so-li-da-ri-dad).

Ya iban a ser las cinco y cuarenta cuando, luego de un par de llamadas por radio (Burrote decía, para referirse al vehículo, como tasando el costo de la transacción con su asesor económico: "No, una doye vieja"), la orden fue categórica: no se puede permitir ese dañino antecedente de falta de solidaridad para con la autoridá.

Vamos, le dijeron con una gravedad a la altura del anuncio, la camioneta queda detenida. Acompáñenos al comando.

Burrote se montó de copiloto del detenido, a Vaquita le llegó su turno de jugar a chofer de la unidad, y Gallinita gritaba instrucciones, feliz de ser la dueña de la situación. Como un niñito malo que logró imponer que jugaran de barco pirata y que él, por supuesto, fuera el capitán.

Por el camino, mientras veía pancartas que decían Con Chávez manda el pueblo, el ciudadano (el pueblo) iba a tener varias cuadras de ruleteo para decidir si accedía a ver cuánto tenía en el cajero, o si llamaba a la mujer para que le acercara a tal esquina tal cantidad de dinero (sí, esa, la de la mensualidad del colegio, ¿qué? Coño se pagará el mes que viene pero yo no voy a estar todo el día en este maní. Yo tenía que estar a las seis y media en Charallave. Bueno, ya se resolverá. Apúrate, pues).

Mientras, rueda indignado de saber que ese trío de rapicuiz, como los había considerado, sí fue capaz de echarle a perder el día. Ah, pero es que la placa es una vaina muy arrecha, muy valorada en un país uniformado.

¿La autoridad? Diciéndose, convencida, de que si no es así, cómo se vive con ese sueldo. ¿El ciudadano? A punto de decir vamos a pararnos en ese cajero pa ve cuánto me queda. ¿Cuánto es que me dijiste que era la multa? Ligando que no haya subido de precio por la gasolina consumida, y por el rabioso escándalo de las tripas de la inspectora Gallinita.

Te andan buscando

Cada momento y cada zona de esta ciudad estrepitosa tiene su ritmo, su densidad, su olor, su puesta en escena. Cada calle, cada esquina es sostenida por una estructura silente que, como le sucede a los viejos en los pueblos que con sólo ver el sol reconocen la hora, ofrece la certeza de que todo está en su sitio.

Cuando todo está en su sitio, claro.

Si algo sabe leer la gente común, en esa ciudad de 50 muertos por fin de semana, son los signos que presagian un alerta de peligro, un *deja vu* que asome una ruptura de secuencia en la Matrix... Tanta violencia desempolva el instinto. No se puede expresar en palabras. Sólo se siente. A cada hora el tráfico está de una manera y las aceras tienen un volumen de peatones más o menos particular y el aire y el cielo y el color de los edificios alumbrados por el sol en cada variante de su paso diario, hace un todo que encaja o no con lo que se espera del momento. Como los cajeros de banco que calzan las transparencias de huellas dactilares.

Como el aire, no se nota su presencia sino su ausencia.

Eran cerca de las dos de la tarde cuando Alejandro venía en su moto de vuelta del banco. Prefería usar la moto porque con el carro emplearía el doble del tiempo. A menos de veinte metros del negocio daba por descontado que todo había salido bien, como siempre. En su rutina de todos los viernes, luego de almorzar, va a la agencia donde tiene la cuenta y saca el dinero para pagar el sueldo de la cajera, de los dos muchachos del depósito y del ayudante que tiene en su tienda de repuestos y autopartes, que no dice el tamaño para el volumen de ventas.

Daba por descontado... Un hábito nada recomendable en Caracas.

De hecho, apenas dobló en la esquina le extrañó lo poco concurrida que estaba la calle a esa hora. Bueno, a él no. Él se dio el lujo de creer más en su estadística personal, en la espesa

cortina de su rutina, que en los signos que se olían en el aire. Esos que salvan a los suculentos antílopes que beben agua en la selva. Corrijamos, entonces: Su instinto receló de ciertos elementos que querían decirle algo que su razón desechó de plano.

Grave error, como se puede suponer.

Acababa de saludar al viejo Carlos, que pasa el día metido en su quiosco, y cuando dirigió la vista hacia su negocio, sintió que los motorizados que se detuvieron brevemente a su lado le halaron el bolso con brusquedad. Es decir, asoció el brusco halón que sintió de pronto, con esos motorizados que, viniendo en sentido contrario, habían pasado a su lado sin que él prestase demasiada atención. Había asumido que iban a comprar algo en el quiosco sin bajarse de la moto.

Al voltear la vista hacia ellos vio que el que manejaba tenía la vista fija al frente mientras que el parrillero forcejeaba con el bolso con una mano mientras con la otra sacaba una pistola para dirigir el cañón hacia él.

(Aquí cabe anotar las preguntas que no vendrían a la mente de Alejandro sino hasta mucho después, cuando se fue a la cama. ¿Por qué carajo el motorizado no disparó cuando él ofreció resistencia? ¿Estaría cargada la pistola? ¿Descubriría que no le había sacado el seguro a tiempo? ¿Sería su primer "trabajo"?).

Pero antes de ese paréntesis lo que hay es un par de motorizados conocidos como "motobanquistas", una calle extrañamente sola y una víctima.

Avisado de la trampa en que había caído, sintiendo en el cuerpo todos los signos que anunciaban que no era uno de esos rutinarios viernes que buscaba la nómina luego de almorzar, su cuerpo reaccionó exactamente como se había entrenado en silencio. Es decir, cuando haló su bolso hacia sí y vio la pistola que le sacaban, sacó la suya convencido de que ahí se acabaría la película para todos.

Pero ya se dijo: para bien o para mal en Caracas es mejor no dar nada por descontado.

Alejandro no lo pensó demasiado para apretar el gatillo moviendo la pistola en dirección a los dos cuerpos que tenía a

unos veinte centímetros de distancia. Disparó unas ocho veces, moviendo la mano para repartir equitativamente las balas, como el que riega *Ketchup* sobre su hamburguesa, esperando recibir también su cotillón... Pero tardó en entender que de la otra pistola jamás salieron disparos.

A los tipos les habían apagado la luz intentando halarle el bolso. Cuando los vio acostados y aprisionadas sus piernas izquierdas con la moto fue que se hizo una idea de cómo había quedado el juego. O, lo entendió a cabalidad cuando apagó la moto, le puso la pata y se bajó, constatando que las piernas le funcionaban correctamente.

Nunca había sentido esa extraña alegría de saberse vivo. Pero no se confiaba, por lo que agarró a los tipos con fuerza por debajo de las axilas y, destrabándolos de la moto, los acostó boca arriba en la calle. De una patada alejó la pistola sin disparar y revisó al conductor en la pretina del pantalón buscando otra arma. Seguía viendo para todos lados, convencido de que las cosas no podían haber terminado tan fácil. Los tipos aún lo veían, extrañados, sin rabia, con la impersonal mirada de lo que se propusieron.

Luego de verlos ahí, la moto y ellos desplegados sobre la calle como mercancía de buhoneros, fue que se percató de la gente escondida detrás de los carros, de los que se paraban del piso, de la muchacha que había cubierto a su niña de los disparos y corrió en cuanto entendió que cesaron. En ese momento cayó en cuenta de que, por designio de los dioses, todas las balas que salieron de esa pistola que nunca había usado y que representaba más bien un amuleto, todas, se alojaron en los cuerpos de sus agresores.

Y que él estaba vivo y ellos se estaban muriendo.

En tanto asimilaba lo que había ocurrido, la calle se iba llenando de gente. De pronto había un círculo de personas alrededor de la escena. Sus oídos comenzaron a sintonizarse con las palabras que salían de ese círculo. "Bien hecho". "Que se jodan". "Por eso es que los matan". "Termina de jodelos, que ya te vieron"...

Alejandro se sintió en el claro lado del bien, de lo justo. La vida lo puso en un duelo y el que estaba parado era él, mientras los otros dos estaban siendo fotografiados por los vecinos con sus celulares, "porque si los veo por ahí, los jodo".

No había pasado media hora cuando llegó la primera patrulla de la Policía Nacional. Y luego de esa llegó otra. Y otra. Y otra. Y otra.

Y siguieron llegando.

A todo el mundo le pareció extraño que siguieran llegando policías a atender un caso bajo control. Pero siguieron llegando. Hasta que se enteró de las razones. Uno de los tipos tenía antecedentes por robo... pero el otro era un colega.

De los policías, claro.

Es decir, un compañero en aprietos, ni más ni menos.

Alejandro está pensando en vender el negocio. Luego de diez años en ese punto, no sólo sopesa la idea de mudarse de la zona, ni de la ciudad, sino del país. Primero fueron las visitas de uniformados. Siempre hablaban de experticias, de investigaciones, de papeles que nada tenían que ver con el suceso. Siempre complicaban la cosa pidiendo nuevos documentos. Pero como Alejandro es la mata de la pulcritud y la legalidad, ya los uniformados no portan por su negocio. Ahora pasan unos carros con unos tipos extraños dentro, dando vueltas, desordenando el sentido de normalidad de la calle. Convirtiendo esas rupturas en una peligrosa nueva normalidad.

Hasta que explote algo raro.

Por eso los vecinos más viejos, esos que lo han visto todo, le dicen con sosiego pero con insistencia:

Vete pal carajo, Alejandro, que te andan buscando.

¿Esta vaina será dengue?

¿Dios? Mi moto y mi bicha
Un malandro disertando sobre religión

Veintitrés años podrán parecer nada, pero más de la mitad de la gente con la que creció está fuera de combate. La clave, siempre lo ha pensado, está en trabajar solo. Los socios siempre terminan cayéndose a tiros mientras arreglan cuentas.

Socios, compinches, billete, pajazos, trampas, codicia, venganzas...

Han pasado tres cuadras y no ha perdido al conejo. Una vez se montó en el Metro y prensó a uno cinco estaciones más allá. Sabe que, si no lo pierde de vista, a las tres cuadras se confían. Después sólo queda esperar el sitio. Se quedan fríos cuando los adelanta y les saca la bicha. Se sorprenden como si se les hubiera olvidado que cargan una pelota de dinero encima, que miles de ojos los vigilan, que el dinero es escandaloso y los bolsillos son transparentes.

Que están aquí, en Caracas.

Él trabaja solo y así rinde más. Pero otros pagan el dato. Y ese dato vale. Se trabaja sobre seguro. Cajeros, vigilantes, parqueros, mesoneros, quiosqueros, mensajeros (fiscales no, ellos trabajan sólo para su gremio), todos esperan su parte por dar la flecha. Él los desprecia. Son atracadores cagones, dice.

Si quieren billete que agarren una bicha, filosofa.

El tipo camina confiado. Quiere demostrar aplomo comprando cigarros en un quiosco. Ve para los lados, nervioso, y paga. Lo espera a unos quince metros. Quiere salir rápido de ese negocio porque esa vaina-rara con la que le amaneció el cuerpo lo está friendo por dentro. ¿Qué coño será esta vaina?, se pregunta. Lo que sea que tiene va volando por su torrente sanguíneo como azogue hirviente.

Era como si todo el esqueleto se le hubiese oxidado. Y aunque tiene por norma no hacerse mentes con el cuerpo, en menos de dos horas estaba dispuesto a permitirse excepciones.

85

Sentía que los ojos se le cocían en sus cuencas. Que un casco se le encogía en la cabeza. Que le estaban echando taladro en las piernas.

El conejo sigue su camino y él se le pega, consciente de que no está en su mejor forma. Lo sigue dos cuadras más. Está a punto de perder la paciencia cuando lo ve sacar la llave del bolsillo y mover la cabeza en todas las direcciones, como si no pasara nada. Como si no hubiese un pulso invisible entre los dos, desde varias cuadras atrás. La calle está bastante sola. Se encomienda a La Corte Malandra. Aprieta el paso. El conejo desactiva la alarma del carro y cuando está metiendo la llave, ya él está detrás, clavándola la pistola entre las costillas.

¡El sobre o te quemo el culo![12]

Para fortuna del conejo, de su vida, de sus posibles deudos, no se trataba de un súper héroe. Cooperó: Entregó el sobre sin subir la vista (la vida toda es un póker, un largo e infinito *if*, un cuaderno que se reescribe con cada condicional), sin saber que si el delincuente que lo estaba atracando tuviese que ponerle un porcentaje a sus capacidades, le pondría un veinte por ciento. Pero en sus manos estaba la decisión de que su víctima desayunara mañana en su casa, o no. Y eso hace la diferencia.

Le quitó el sobre y se fue, con sus escalofríos, sus dolores en las coyunturas, su ardor en los ojos, su cabeza como un saco de arena.

¿Esta vaina será dengue? se pregunta asustado.

Rodando en la moto, ve una farmacia y decide que no puede esperar más. Para a una cuadra, por una precaución que no puede evitar. Entra en la farmacia. El aire acondicionado le atraviesa la piel. Siempre le han incomodado los espacios cerrados, y más si están lejos de su zona. Además, no le gusta la gente distinta. Y el lugar está lleno de gente distinta.

Agarra el numerito y ve en la pantalla que tiene siete personas por delante. Le provoca sacar la bicha y resolver como lo sabe hacer, pero se contiene. Se siente como si le hubieran entrado a

---

[12] Los ancestros de tan viejo oficio señalaban, con más pudor, o más belleza: "La bolsa o la vida".

batazos, y necesita que le receten algo. Putea. Mira los estantes. Los zapatos de la gente.

Faltan cinco personas y trata de distraerse con el escote de una chica que está con el novio esperando turno. Un pantalón de mono y unas pecas grandes en el pecho. La chica lo ve con miedo y se abraza más al novio. Le provoca atracarla, solo porque le arrecha cómo lo mira. Busca su rostro en el espejo de la sección de los lentes y lo que ve es un malandro con una fiebre voladora. Mira alrededor y se da cuenta que todo el mundo lo mira igual. Comienza a ponerse paranoico. Le provoca atracarlos a todos, pero opta por la prudencia.

Levanta la vista y faltan dos números. Le va a pedir a la mamita de la bata azul algo para ese malestar y se va a desaparecer, antes de que se ponga *monstruo* ahí mismo. ¿Será dengue? Está imaginando la conversación cuando escucha un tipo pegando gritos.

Cuando levanta la vista ve a un bichito con un pistolón agarrado con las dos manos y los brazos extendidos moviéndolos de un lado al otro, saliendo de entre los anaqueles. A pesar de lo lento que lo tiene la fiebre, se pega a una pared y mira hacia la entrada para verificar si está solo. Hay otro en la puerta. Cuando el que entrompa lo apunta, dictamina que esa pistola que no tiene puesto el seguro está cargada, por lo que baja la vista y obedece las órdenes. Se pregunta si le dará tiempo de sacar su bicha, pero sabe que los reflejos no lo van a ayudar. Las coyunturas le queman del dolor. ¿Esta vaina será dengue?

Decide que no puede dejarse agarrar armado. El bichito que entrompa está muy nervioso. Los malandros deberíamos tener carné y sindicato, le suelta en chiste una de las neuronas que le quedan despiertas. El que está en la puerta tiene la pistola apuntando al piso, como debe ser. Los ventanales de la farmacia dejan ver medio cuerpo, y desde afuera solo se verá a un tipo atento a la calle, pero tranquilo. Echa un vistazo afuera y verifica que no hay un tercero. Están trabajando en pareja. Yo te voy a echar cuento de socios, piensa. Seguro el que está entrompando saldrá primero y el otro lo cubrirá. Ya están sometiendo a los cajeros. Si no se meten con los clientes, quizá decida quedarse

tranquilo hasta que se vayan.

Pero el que estaba en la puerta entra en escena:

Sin payaserías, celulares y blackberrys aquí, dice agarrando una de las cestas de la farmacia. Él lo deja pasar a su lado y se fue acercando a la puerta con mucho cuidado. El dolor de cabeza, la concentración, los ojos, salvar el pellejo. El tipo entrompando a los clientes. Ya está cerca de la puerta. "Esta mierda tiene que ser dengue". Está a dos pasos de la puerta. Uno más y está listo, porque luego lo protegerá la pared.

Si tengo que soltar dos plomazos para cubrirme lo hago, decide.

Escucha que ya limpiaron las cajas y sólo queda terminar con los clientes. Puede ver la acera en esa tarde fresca y comprueba que no hay carro esperándolos. Es decir, los tipos van a pie. Es decir, saldrán de la farmacia caminando. Es decir, tiene chance porque no lo van a perseguir.

Da otro paso. Le zumban los oídos. La brisa se cuela por las rendijas de la puerta de vidrio. Ve una señora gorda caminar hacia la farmacia. Mide a los tipos. Los ojos le arden, pero se concentra. El pellejo primero. Ve por última vez hacia dentro y se tira el resto. Empuja con todo su cuerpo la puerta pero el que se acercaba con la cesta, sin ninguna expresión en el rostro, apunta hacia él. Escucha la detonación y escucha los gritos. Escucha los gritos y escucha los vidrios. Siente que lo empujaron y que se le empieza a mojar un costado.

Desde la acera vio a la señora gorda reírse con todos los dientes. Vio también los zapatos de los tipos saltando sobre él, en dirección a la calle. Comenzó a sentir, cerca del costado húmedo, una quemazón. Alguien gritaba algo de un celular y por primera vez en todo el día sintió que se le aliviaba el dolor de cabeza.

Quiso sacar la bicha pero le entró un sueño sabroso.

Entendió que la vieja gorda no se estaba riendo cuando vio a la de las pecas consolándola, abrazadas.

Debe ser la mamá, pensó.

UNA NECESARIA Y MERECIDA TREGUA

Caracas queda en el infierno,
pero no es su capital.
Daniel Pratt

Con voz gangosa, el anciano pregunta al cajero hasta qué hora funciona la agencia. Se mueve entre los clientes como un viejo camión de estacas que tose y echa humo, sin avanzar. A todo el mundo le cuesta entender lo que dice y a él le cuesta entender al mundo. Si ese es el pórtico, la inmortalidad no luce demasiado atractiva.

Al tercer intento del cajero por hacerse entender a través del agujero de la taquilla, aumentando el volumen de la voz en cada ocasión, comienzan a oírse risitas. Al contrario de lo que parecen, no son risitas malintencionadas ni viles. Aún sin ellos saberlo, son risitas nerviosas, asombradas. Risitas de admiración y desconcierto. El que sabe escuchar, escucha en esas risitas apagadas la pregunta:

¿Cuántos podrán darse el lujo de desgajarse intacto, atravesando la vida y la muerte de punta a punta, en esta ciudad de fugacidad y pólvora?

*

La niña le dice a su papá que a ella le gustaba mucho cuando se subían al vagón ese dúo de muchachos que cantaban canciones graciosas en el Metro. Eran dos feos simpáticos que cantaban algo a mitad de camino entre el rap y el country, recuerda también su papá. Eran muy alegres, acota la niña, y ya no se ven más. El papá cae en cuenta que, efectivamente, no sólo ellos, sino que todos los músicos y su universo circundante desaparecieron del Metro, sin dejar rastros de su existencia. Nadie podría recordar qué día marcó su desaparición.

Como llegaron, se fueron.

¿De verdad en una época se viajaba en Metro escuchando

baladistas, rockeros, vallenateros, boleristas, raperos y músicos que tocaban versiones instrumentales? Fue tan abrupta y tan completa su desaparición, que hasta los que los vieron dudarán de su memoria.

Y hay quien dice que en este valle de humo no ocurren hechos portentosos.

*

La mujer tiene cuarenta y tantos largos. Morena, gruesa, alta. Sus brazos parecen los robustos percheros de una quincalla china: la cartera, la lonchera, unas carpetas, una bolsa con asas cuelgan de sus brazos como un árbol mutante.

De sus manos resbala un papel. La mujer (cartera, carpetas, tacones, medias, calor, várices, cansancio, columna) se detiene en seco, siguiendo la trayectoria del documento hasta verlo aterrizar en el piso. Con más gesto de pesar que de contrariedad, tarda un instante en entender que debe agacharse.

Suspira y se dispone a hacerlo.

Un hombre viene con prisa en dirección contraria. Todo el mundo lleva prisa en Caracas. El hombre se detiene con una precisión casi violenta frente a la mujer. La mujer sabe que en Caracas el que se para pierde. Y más si lleva los brazos ocupados. El hombre se agacha con ligereza y, con gesto solícito y casi teatral, recoge el papel, lo sacude y lo pone, reverencialmente, al alcance de los dos dedos libres que esperan prestos para atenazarlo. La morena libera una sonrisa espléndida, total, hermosa, como si el galán de sus sueños le hubiese pedido matrimonio. El hombre le devuelve la sonrisa y se pierde entre la gente.

¡All you need is love!, canta para sus adentros alguien que recibió el fortuito regalo de presenciar la escena.

*

Tres chicas van bajando hacia la avenida. Simples, sin gracia, no acaparan las miradas masculinas con las que se cruzan.

Alegría sí tienen. Y ganas de hacerse su espacio sobre la tierra. Ríen y cuchichean las tres a la vez. Llegan a la esquina. El ciego que vende tarjetas telefónicas las oye pasar y comenta:

¡Qué hermoso canto el de esas muñequitas! ¡Es para enamorarse de las tres!

Los hombres que están alrededor voltean a mirarlo, incrédulos, escépticos, desdeñosos. Sólo uno de los presentes cierra los ojos y agarra en el aire los restos de la música que se va alejando. Tras unos segundos, siente felicidad y siente también vergüenza de que la vista le entorpezca ver la verdadera belleza.

*

Un chamo va subiendo por una solitaria calle llena de talleres mecánicos. Viene del liceo. Las manchas en la camisa azul delatan los estragos de los juegos durante el receso. Camina por el medio de la calle, despeinado y sudoroso. Se lleva un dedo a la nariz y hurga metódicamente, con expresión ausente. Dos tipos vienen detrás, a mayor velocidad. Lo alcanzan y, al pasar a su lado, uno de ellos (gordo, alto, canoso) le dice, sin verlo ni perder el hilo de la conversación:

Coño, chamo, te vas a espichar el ojo.

Y sueltan unas ruidosas carcajadas, pero de inmediato siguen conversando, como si apenas decirlo ya lo hubiesen olvidado.

Viejo marico, dice bajito el chamo, con rencor, mirando fijamente la ancha espalda que se aleja.

El tipo se lleva la mano al bolsillo y, al sacarla con brusquedad deja caer como al descuido un billete de veinte que, doblado en cuatro, vuela con torpeza y aterriza en la acera. El chamo sigue el billete con la vista y apura el paso, se agacha para tomarlo y se lo mete en el bolsillo, con una sonrisa satisfecha y vindicadora.

El del chiste le dice al otro, guiñándole el ojo:

Tampoco vamos a reírnos a costa del panita sin alegrarle el rato, ¿no?

Y vuelven a reír ruidosamente.

*

Son las siete y media de la mañana. La brisa está helada. El cielo gris desde hace días le ha negado al caraqueño esa luz clara, luminosa, y fresca de todo diciembre. Un año duro que parece querer cerrar igual.

El microbús gana metro a metro la avenida, entre corneteos y bramidos. Entre motos que van chocando retrovisores y gente que salta charcos y putea. Hace días que no se le ve la cara al sol. Lo que se habla es de derrumbes y deslizamiento de tierras. Hay miedo en el ambiente. Miedo y un malhumor enorme por los tantos días teniendo que salir a ganarse el pan en esas circunstancias.

Un tipo persigue al bus y se trepa sin que este termine de detenerse. Sólo él sabe el por qué de esa cara de alegría. Parece ser de esos fastidiosos que hablan en voz alta, buscando conversación a los desconocidos. La gente, al verlo, comienza a negarle esa posibilidad, ocultando la vista dentro del diario, en la pantalla del ipod, por la ventana del microbús, inspeccionando los zapatos...

Chorreando agua, el tipo se acomoda en el estrecho pasillo y suelta un chistecito malo. Verlo empapado y sonriente produce algo contagioso en esos rostros malhumorados. El tipo se ríe, moviendo los hombros. La señora del suéter azul, cede a la tentación y, en un principio, se permite una sonrisa que luego se vuelve risa. Al verla, la muchacha con la carpeta entre las piernas y los lentes de montura de metal, busca con la vista brevemente al señor que está sentado a su lado y, disimulando que busca algo en su cartera, también sonríe con ganas. Su vecino ríe sin esconderlo, en un principio calladamente y luego moviendo la barriga como la proa de una lancha que pasea de cayo en cayo. Los dos muchachos de la cocina no esperan demasiado y se suman a la risa.

El chiste es malo. Nadie podrá recordarlo cuando quiera contarlo al llegar a su destino. Pero no es el chiste, es un hormigueo que les recorre la cara, los brazos, el corazón, y les hace sentir que ya es como tiempo de darse una necesaria y merecida tregua. Una necesaria y merecida tregua.

Y DE REGALO, LO QUE LE QUEDA DE VIDA

a Juan Carrillo

Si es por tener cosas qué contar, los taxistas podrían ser de esos escritores que desconocen ese temible fantasma conocido como la hoja en blanco.

Geólogos del latir de la calle, los taxistas son los sismógrafos de un submundo que, como los *icebergs*, muestra apenas un minúsculo pedazo de cuanto esconde en sus entrañas. Son los chamanes del *Abracadabra* que hacen aparecer, ante los ojos del que los escucha, una ciudad escondida.

El taxista viejo es un guerrero curtido, un cazador mañoso. Si hay un oficio duro, es ese. Para lidiar todos los días contra los tataranietos de Atila (llámenseles motorizados), los autobuseros con su lógica de que el más grande siempre tiene el paso, las todopoderosas caravanas de "personalidades" y los fiscales de tránsito[13] hay que pertenecer a una raza tan blindada como la de las cucarachas.

Y ni hablemos de su prodigiosa capacidad para sobrevivir al hampa.

Pascual terminó siendo taxista como el que se descubre un día sacando cuenta del tiempo que tiene viviendo con alguien que en una época le resultaba indiferente. O el que termina viviendo en Güiria. Porque sí. Comenzó como una opción para ayudarse a flotar en una época difícil. Con el tiempo el sustantivo época fue relevado por el sustantivo vida y, como la carrera de un profesor universitario, lo que comenzó con unas horas a la semana terminó siendo un oficio a dedicación exclusiva.

La vida, ya se sabe, es de las que sueltan chistes de los que sólo ella se ríe.

Master en eso de sobrevivir a la ciudad, sabe que en esta

---

[13] Contó cierta vez un taxista, que a su vez le confió un fiscal, que un día de cobro fueron llamados a formar en el patio, y una vez allí el comandante les advirtió: enviaron la quincena, pero no los cesta-tickets... así que vean cómo resuelven.

hay que dosificar la angustia. Más de veinte años atravesando las venas de Caracas frente al volante le han enseñado a no malgastarla sin motivos.

El caraqueño vive asesinando su cuerpo bebiéndose todo el día un coctel de paranoia, rabia, impaciencia, ansiedad y terror, le comenta a todo pasajero dispuesto a escucharle.

Y así como terminó de taxista porque sí, igualmente está vivo porque sí. Ocasiones para no estarlo le han sobrado en todos esos años. Lo han atracado con todos los métodos conocidos (hasta con una media de nylon atravesándole el cuello), ha sido el impensado transporte-rehén de una fuga, ha llevado heridos de bala al hospital, ha montado pasajeros que luego descubre que están siendo perseguidos a plomo limpio, y hasta una vez su carro terminó acordonado por una Unidad Antiexplosivos, por un maletín que dejaron en el asiento de atrás. El mismo en el que, todo hay que decirlo, también se han repartido amores y humedades.

Por eso cuando dice que está vivo, lo dice en letras mayúsculas.

Esa vida vivida en sus bordes le ha enseñado a tomar con humor los pequeños incidentes. Como esa vez que cuatro "funcionarios" de una policía no identificada lo detuvieron y le indicaron una dirección a la que iban a allanar. Y no le pare a semáforo, que usted está en comisión.

Por supuesto, no pagaron la carrera.

La mañana previa a amanecer con sesenta años, despertó sintiendo un inesperado rechazo a la idea de salir, como todos los días, a *guerrear* la calle. Puede que estuviera cansado de sospechar de los pasajeros y de tragar humo, pelear con motorizados y de los calambres y dolores en la rodilla del *clutch*; pero sobre todo se descubrió aburrido de un oficio que ya no le deparaba sorpresas.

Decidió que ese sería el último día antes de colgar la armadura, y así se lo hizo saber a su mujer. Esta se quedó pensativa y luego dio un manotazo al aire, como queriendo espantar una idea odiosa.

Ningún hecho inusual coronaba su jornada de despedida

del volante. Lo de siempre: colas, carreras, gente puteando al gobierno... Trabajó hasta las dos de la tarde y se fue a su casa a comer y descansar. Volvió a la calle a las seis. Calculó que, con seguridad, a eso de las doce ya estaría en su cama durmiendo.

Cerca de las once recogió a un tipo por los lados de Chacao. Trigueño, unos treinta años, cara grande, una chaqueta larga. Un tipo como cualquiera que puede estar en la calle a esa hora de un jueves.

¿Cuánto pa' Plaza Sucre?

Cada taxista se mete a las zonas que conoce y Pascual rueda tranquilo por las calles de Catia. Dijo setenta para irse a casa luego de esa carrera. El tipo abrió la puerta de atrás sin chistar y, una vez adentro, ordenó escuetamente:

Súbeme el vidrio.

Veinte años llevando gente no han sido en vano. Pascual reconocía a la solterona, al infiel, al paranoico, al alcohólico en crisis, al alucinado, al suicida, al que nadie lo espera en casa, al psicópata... y ese tipo que estaba en el asiento de atrás de su carro era, sin ninguna duda, un delincuente. Se siente en las feromonas, en la sudoración, en la mirada. Drogas, atracos, en algo sucio andaba ese al que le dejaba la nuca a tiro en la última noche de su oficio.

Pascual intentó un par de conversaciones que se estrellaron con el silencio de una sombra en el retrovisor. Al llegar a la Plaza Sucre el tipo dijo dale más, que yo te aviso.

Rodaron un par de cuadras por unas calles que se volvieron repentinamente solitarias. Pascual intentó bajar la velocidad. Dale, dale que yo te aviso.

Coño, pero ya vamos para Los Magallanes, y el precio es otro, se quejó Pascual.

Deja la lloradera y dobla después de la otra, nojoda. Y cobra lo que te dé la gana.

Pascual dobló donde le indicaron y el silencio expreso de la calle fue roto por el sonido de las ruedas pisando un charco, como una lancha encallando en la playa.

A pocos metros estaban tres tipos, que sin duda esperaban al que acababa de llegar. Pascual, nervioso, encendió la luz del techo.

El tipo se bajó del carro tan aprisa que no vio el sobre que se le salió del bolsillo de la chaqueta. Al oír la puerta cerrarse, Pascual lo buscó por la ventana y lo perdió momentáneamente de vista.

De pronto se percató del sobre que estaba en el asiento.

Sin entender del todo lo que pasaba, le quiso avisar del descuido...

¡Piérdete, que estás vivo de vaina!, le gritó el tipo mientras se alejaba.

Pascual entendió que sí había pasado algo, no inusual, sino extraordinario en su último día de taxista. Alguien (y no sabía quién) le había regalado lo que le quedaba de vida. Podía aspirar a morir en su cama, en vez de hacerlo en una calle de Los Magallanes.

Las ruedas chillaron brevemente cuando aceleró.

Al encontrar un sitio con suficiente luz, detuvo el carro. Agarró la cabilla que lleva debajo de su asiento y se acercó a la puerta de atrás como si fuese a sacar un borracho que se quedó dormido. Abrió la puerta y, sin soltar la cabilla, agarró el sobre con dos dedos de la mano libre. ¿Esta vaina será droga?, se preguntó. Lo que falta es que me caiga la policía. Examinó su exterior hasta que sintió confianza para revisar su contenido.

Adentro había dos pacas. En una de ellas, en un conteo superficial, calculó más de cincuenta billetes de cien bolívares. La otra parecía más gruesa.

Buscó la autopista y rodó, tratando de no pensar en nada, hasta que llegó a una arepera en El Rosal. Allí comprobó que al menos uno de los billetes no era falso. Ordenó la otra arepa y luego ordenó cervezas, brindando por el regalo y por sus sesenta años. Pidió otro par de latas para llevar y se montó en su taxi. Rodaba sintiéndose atravesar una cortina invisible que flotaba en la soledad de la madrugada.

Eran como las cuatro cuando llegó a la Cota Mil. En El Mirador, sabiéndose el vengador hermético de los taxistas atracados, esperó ver al sol acercarse al galope por los lados de Petare. Pensaba en esa ciudad que todo te lo quita pero que un día hasta te celebra el cumpleaños, y se deleitaba con

esos pálidos tonos naranja y verde que comenzaban a cocerse lentamente. Destapó la cerveza que guardó para la ocasión y concluyó, con una mezcla de felicidad y desconcierto, que esa era la vista de la ciudad que merecían los que ganaban la batalla. Luego se acomodó en el asiento para regalarse un par de horas de sueño.

Una vida regalada no hay que estarla cuidando tanto, pensó bostezando.

Oprima nuevamente el botón

Nadie supo precisar cuándo ni cómo comenzó el asunto. El ambiente estaba sumergido en el murmullo clásico de un vagón cargado a mediana capacidad. Una parejita aquí, un grupo de muchachos allá, tres compañeras de trabajo maduras hablando mal del jefe, el radio-chicharra que salía de un celular colándose como un topo entre las conversaciones, hasta que unas voces lo pararon en seco, silenciando todos los sonidos.

¡Tú lo que eres es senda bruja!

¿Qué pasa de qué, sapo?

¡No te me resbales, menor!

¡Vente, pues!

Todos los que querían llegar a casa, los que estaban cansados de la jornada laboral, los que se estaban orinando o tenían hambre, sintieron en su propia carne las puntadas del hilito que cose las complicaciones. Comenzaron a buscar con la vista, para ver qué tan cerca, qué tan serio, qué tan peligroso era el asunto.

Distintas versiones, sobre el origen del asunto, ofrecerán los que echen el cuento a sus panas, a sus maridos, a sus madres. Según, un malandro se puso abusador con una muchacha. Cansada de pelear con el jefe, con el papá de los niños, con la casera, la muchacha prefirió evitar un escándalo. Pero el tipo insistió provocando la reacción de... llamémosle Súper, un malandro regenerado que presenciaba todo en silencio, cuyo prontuario jamás incluyó "maltrato a mujeres".

¿A ti te parió una burra?, fue la amable pregunta con la que entró en escena.

En fin, que Súper y El Malo (porque todo héroe, para existir, necesita de un tipo desquiciado y peligroso como él en la acera contraria, que le sirva de justificación) siguieron discutiendo. En el fondo la muchacha fue un pretexto. En el fondo el que quiere bronca, o el que piensa que el mundo sólo requiere un coñacito aquí y otro allá, siempre encontrará la ocasión. En el fondo, en esos casos "encontrará" se sustituye, crípticamente,

por "buscará". En el fondo, en Caracas no se debe estar alzando la voz ni recostando nada ni empujando a nadie si no se está dispuesto a apostarlo todo a un número en la ruleta venezolana.

Nadie sabe quién fue más rápido, si El Malo o Súper, lo que sí es cierto es que, de pronto, ambos seguían amenazándose, uno con una navaja en la mano y el otro blandiendo una llave inglesa de proporciones respetables. Nadie, en esta ciudad con una estadística tan desalentadora, quiere protagonizar una historia de violencia. Bueno, casi nadie. La gente en Caracas está cansada de violencia, lo que pasa es que a veces la propicia sin saberlo a) porque está imbuido en esa cultura, b) porque no puede evitarlo, c) porque no se da cuenta, o d) simplemente porque no sabe que debe desprogramarse de esa búsqueda.

E, incluso, e) por todas las anteriores.

Nadie quiso estar cerca del suceso, por lo que todos los presentes se aglomeraron en los extremos, dejándolos en el centro, solos, como si fuesen a iniciar un baile.

Al fin y al cabo todo baile es un duelo y todo duelo es un baile. De hecho, sonaba una musiquita instrumental medio cadenciosa por los parlantes.

Si se ponen a deliberar qué hacer, un porcentaje significativo de las potenciales víctimas colaterales del hecho iba a opinar que si sonaba la alarma los tipos se podían enfurecer contra los pasajeros, y esa furia podía traer consecuencias inesperadas en un vagón que atraviesa en ese preciso momento el largo túnel que separa Plaza Venezuela de Colegio de Ingenieros. Pero otro importante porcentaje estaría convencido de que "algo" había que hacer antes de cobrar de gratis.

Ambas voces merecían ser escuchadas. Total, desde visiones opuestas, ambas atendían a la necesidad de salvar su pellejo. Esa división, más o menos, se correspondería con las personas más escépticas ante la integridad de las autoridades, en oposición a las que guardan un mínimo de fe en esa institución.

Pero no había tiempo de someterlo a escrutinio, por lo que una mano intrépida, o desesperada que es lo mismo, se coló entre la masa aglomerada en una de las puertas y accionó el botón rojo. Ese nuevo elemento agregó tensión a la escena. Los tipos estaban en pleno proceso de iniciar su danza callejera

cuando escucharon la alarma. El Malo lo tomó de peor manera y buscó en torno, como teniendo un impulso de dar con el delator; pero Súper lo marcaba fuertemente, por lo que atendió los problemas en el orden de urgencia.

La música de fondo se interrumpió para dar paso a la voz del operador susurrando que se había recibido una señal de alarma y que si la emergencia continuaba "oprima nuevamente el botón". En realidad nadie entendió su ininteligible murmullo, pero todo el mundo sabe lo que dicen en esos casos así no lo digan.

Se produjo una nueva tensión y una nueva disyuntiva. El porcentaje convencido de que era mala idea provocarlos comenzó a buscar con la mirada al atrevido con intención de neutralizar un nuevo intento. Con más apremio ahora, dado que la mirada de El Malo reforzaba su tesis. Pero en ese momento el tren dio una brusca y larga frenada, cambiando la atención de la gente hacia los duelistas, que estaban en el centro del vagón sin sujetarse de nada.

El brusco frenazo atizó la inminencia del choque. Aprovechando el interés reavivado por el desenlace en el centro de la pista, otro (o el mismo) atrevido volvió a pulsar el botón.

La puesta en escena era, como decían los viejos narradores de peleas de boxeo, no apta para cardíacos. La alarma que se quedó pegada, los pitbull que intensificaban sus movimientos para destrozarse a mordiscos de un momento a otro, el murmullo generalizado del porcentaje que desaprobó la acción, la voz del operador asegurando que "la alarma será atendida en la próxima estación", el calor del vagón, los insultos de los tipos, el tren que no reiniciaba el movimiento, un bebé llorando a causa del calor, los nervios que comenzaban a contagiarse como un virus entre los apiñados, los gritos a favor de Súper y en contra de El Malo, la certeza de este último de tener al vagón en contra sin saber qué tanto contaría con la suerte, el calor que asfixiaba, la parada en pleno túnel, la vieja pelea nacional vivachávez-fuerachávez, el tren que no terminaba de arrancar...

Y, como si todo eso no bastara, bruscamente se apagaron las luces del vagón.

La palabra melancolía

a Ariadna y a Rodrigo
Y aun cuando usted se hallara en una cárcel, cuyas paredes no dejasen
trascender hasta sus sentidos ninguno de los ruidos del mundo, ¿no le
quedaría todavía su infancia, esa riqueza preciosa y regia, ese camarín que
guarda los tesoros del recuerdo?
Rainer María Rilke

Cuando el rudo de su hermanito tiró por la ventana a su amigo, la nena reaccionó como cualquiera que ve a alguien entrañable caer al vacío. ¿Es que tener menos de dos años es la licencia perfecta para irrespetar toda regla de juego?

La mamá bajó a rescatar el corazón de la niña, que se había lanzado tras el peluche, pero no encontró ni el rastro. Cuando subió derrotada, la niña aún miraba por el balcón con una mezcla de esperanza y angustia, como espera todo el que presiente que lo hace en vano.

No hubo argumentos que bastaran (por fortuna, mamá tuvo la delicadeza de no salir con el manido "después te compro otro". No se trataba de eso: el amor nunca se trata de eso) para lograr que la nena retrocediera en un milímetro su mezcla de desconcierto con la vida y de profundo odio con el delincuentillo.

Y, como en toda historia de estos tiempos, el rufián andaba por allí, viviendo la ancha y divertida vida, riendo con descaro, e ignorando el dolor y la rabia que no lo perdían de vista.

Borges dijo en una ocasión que no había millones de hormigas, sino millones de seres diferentes que se parecían entre sí, pero que la diferencia era tan sutil que hacía que los viéramos iguales.

La niña, por supuesto, no tenía edad para haber leído a Borges, pero sabía que sólo el amor nos permite enfocar la vista con tal nivel de agudeza que nos hace ver lo que una persona (así sea de peluche) tiene de única. Ese lunarcito a un costado

del labio, esa manchita diminuta en el ojo izquierdo, esa oreja derecha ligeramente más inclinada que su par...

Terrible palabra: única. Da vértigo imaginar que para cada corazón hay un número determinado de seres infinitamente diferentes al resto del mundo. Decenas, cientos, miles de llaves que tienen su propio cuarto en cada corazón. Cientos de miles de únicos rompiendo la lógica de las matemáticas. Millones de únicos, como el que había caído por el balcón, y que en nada se parecía a una fábrica completa de peluches. La niña se fue al cuarto mientras papá balbuceaba algo así como que debe estar en buenas manos, descubriendo que ante el dolor toda palabra resulta un gesto inútil.

Luego de media hora la mamá decidió entrar a aligerar su soledad. La encontró dibujando mientras secaba de vez en cuando, casi ignorándolas, las lágrimas que caían como desde una herida que ya casi se seca.

Ah, pero en el dibujo sales sonriendo, dijo la mamá, por encontrar esperanzas.

Sí, pero eso era porque estaba con él, respondió la nena, seria y lejana, mientras sus ojos dibujaban una precisa definición de la palabra melancolía.

En un cuadrito pequeño

La literatura se instala en el terreno de la colisión y el desastre
Roberto Bolaño

Mientras esté transitada, no se le ve lo trágico. Después de todo carros, perros, borrachos[14] son los mismos en todas partes. Pero el que la conoce pasadas las doce, sabe que en esa avenida hasta los postes se andan con cuidado.

El carro (un taxi ejecutivo) paró de golpe y de él se bajaron dos muchachos con toda la intención de seguir rodando el drama que traían desde quién sabe dónde. Estaban borrachos y alterados —típica y pésima combinación—; bueno, uno más que el otro. Comenzaron los amagos de la pelea y de inmediato se baja el taxista. El parecido de los muchachos entre sí es notorio, pero el de ellos con el taxista no deja lugar a dudas: la película tiene visos de drama familiar. Sólo que ellos están en bermudas y zapatos de goma y el taxista viene de camisa y corbata. Hasta los rulos y la nariz afilada es la misma. Un poco más de barriga, un poco menos de asombro, pero ese rastro no precisa de sabuesos.

Los borrachos habituales que estaban en la esquina, aguzado el entendimiento por las bebidas espirituosas, sacaron sus primeras conclusiones.

El viejo, dice uno, es el papá de los chamos y trabaja en la línea del aeropuerto.

Sí, los pasó buscando por la playa y les dio la cola pa´ la casa, complementa otro.

Claro, pero los chamitos cargan encima tremenda nota y a aquel le dio por ponerse monstruo.

El más chamo, ¿verdad?, asevera su interlocutor, satisfecho de las concurrencias de sus observaciones.

En el techo del taxi hay una bolsa de cuero dentro de la cual se puede presumir que vienen unas tablas de surf. El viejo, luego de intentar hacer de réferi y de hacer vanos llamados a la cordura, se

---

[14] Sustantivos, sin ninguna duda, ruidosos y apropiados para una crónica de una ciudad sitiada por la contaminación sonora.

harta de la situación y como tengo que trabajar, nojoda comienza a desamarrar las tablas del techo del carro y saca los bolsos del maletero y se los tira sobre la acera. Él finge hartarse y ellos fingen hacer las paces y, disculpándose con el papá, vuelven a meter las cosas en el carro.

No han terminado de hacerlo cuando retornan los amagos de golpes, los insultos, los gritos. El viejo se harta, ahora sí en serio, les tira los bolsos en la calle y sin darles chance de nada, se monta en su carro y, luego de un contundente portazo, acelera dejándolos en la acera con sus tablas, sus bolsos, su mala nota y su peo.

Pasaron un poco más de una hora llevando silbidos, gritos y hasta uno que otro botellazo de los ociosos que los observan desde la acera del frente, donde está la licorería. Botellazo que de seguro buscaba la sangre que ellos no parecían tener intención de hacer aflorar. Un viejo sintió lástima de los muchachos (a los que no les calculó más de veinte años y los comparó con sus bóxers cachorros: mucho tamaño y nervio; poco cerebro y temple) y cruzó la calle para advertirles[15], con bíblica sonoridad:

Yo no sé qué peo tienen ustedes. Sólo sé que esta avenida es candela y que si no cogen un taxi rápido y se van de aquí, van a aprender a coñazos que hay cosas que los hermanos no deben hacer nunca. ¿Saben como cuáles?

Los bóxers alternaban miradas al piso, al viejo, al otro, a la calle. El viejo prosiguió, sin esperar respuesta de ellos:

Como pelear en una calle que no conocen.

Luego, al darles la espalda, susurró algo así como:

Desobedezcan y estarán invocando a *Até*.

Era tan sensato el consejo que era imposible que entrara en cabezas veinteañeras congestionadas por una escandalosa mezcla de perico, testosterona y alcohol. Era tan inapelable la sentencia, que ellos estaban obligados a desconocerla, como corresponde a toda tragedia que se precie de tal.

---

[15] No lo sabían, pero escuchaban la voz de un ángel sucio y pendenciero, como suelen ser los ángeles de la calle. Y el que desoye esa voz no amanecerá para jactarse de su imprudente soberbia. El contacto con ángeles callejeros es más común de lo que la gente piensa. El narrador Alfredo Armas Alfonzo, por ejemplo, documentó en sus libros varias de sus apariciones "fortuitas".

El viejo, apenas les dio la espalda, dio por cumplida su misión. Daba igual que cruzara la calle oscura y desapareciera entre montañas de basura o que se elevara desplegando unas extraordinarias alas níveas. Daba igual que se desvaneciera o se montara en un vehículo negro que lo estuviese esperando. Nada, ningún portento místico que presenciaran, les iba a producir el más mínimo asombro; ese destello que los sacudiera y los salvara.

Los bóxers seguirían con los ladridos, las amenazas, los empujones más allá, mucho más allá del momento en que cerraron la licorería y los borrachos se aburrieron de una pelea sin sangre ni genuinos apetitos de aniquilación. Aburrida, como toda pelea que no es por la vida.

En efecto, cerraron la licorería, cerraron todos los negocios de la zona, bajó el tráfico, la gente que aún quedaba en la calle comenzó a apurar el paso, los carros distanciaban sus lerdos gruñidos, los perros trotaban con desconfianza, los últimos borrachos desvariaban tratando de flotar en el anegado lago de sus cerebros intoxicados... Y comenzaron a salir los lateros de sus escondrijos, las ratas de sus alcantarillas y los Morlocks de sus refugios.

Y fue entonces, con semejante paisaje de pesadilla nuclear, de lluvia escarlata, que los muchachos se sintieron solos en esa avenida que hasta hace nada (unas dos horas en el tiempo formal) parecía, al menos, viva. Intentaron parar un taxi pero, ¿qué taxista se para a las once de la noche frente a dos chamos en bermudas, sucios, con caras de borrachos y de no ser de por ahí? Todos los que intentaban detener aceleraban el paso cuando los veían. Y mientras más se desesperaban y mientras con más angustia se les tiraban encima a los carros, más rápido los evadían los taxistas[16].

Más de media hora después, cuando estaba tan vacía la calle como desesperados los muchachos, aparecieron las luces de un carro que se acercaba muy despacito por la avenida. En

---

[16] No se les debe juzgar tan duro: los taxistas no son hermanos dominicos, son tipos que quieren llegar a sus casas y que están muy conscientes de que ese horario tiene de rentable lo que tiene de peligroso.

su interior, uno, dos, tres, cuatro bichitos con cara de álbum familiar de comisaría de la PTJ (¿quién repite ese trabalenguas de CICPC, adscrito al Minpopopajusticia?) fuman piedra y observan la calle, atentos, en busca de ovejas salidas del corral. Tienen hambre. Y tienen también, en la frente, la marca de Átropos, la inflexible.

Como es de noche, los chamos no ven el contenido del empaque, sólo ven un amistoso carro que viene a baja velocidad con intención de auxiliarlos.

Todavía hay gente buena. ¡Qué de pinga!

Los lobos ven tan fácil el asunto que hasta recelan. Se detienen entonces tres metros más adelante para asegurarse de que aquello que veían de lejos es lo mismo que encuadra el retrovisor: dos gallitos –con una maletota larga y dos bolsitos finos en los que debe haber algunos objetos valiosos– pidiendo cola[17] en esa avenida, a esa hora.

Es como para salivar, ¿no?

Vente, marico, que se pararon, cacarea el gallo mayor.

El otro, después de todo, como siempre, obedece.

Los chacales los ven acercarse y sus papilas salivan. Uno de ellos saca una navaja oxidada; el de adelante, un destornillador de estrías. Otro, que tiene un solo diente en su lugar, un viejo 38 y lo esconde poniéndole la mano encima.

Como corresponde a las leyes del género, los chicos no recordaron en lo absoluto el consejo del ángel/viejo/heraldo enviado por un Dios piadoso para intentar salvarlos de su destino, cuando se abrió una de las puertas del carro.

Lo demás saldrá en un cuadrito pequeño en el diario, al día siguiente. Pequeño, porque el espacio en prensa no da para mucho. Y tampoco será el crimen más vistoso de la crónica policial de esa jornada.

---

[17] Pedir cola: hacer autoestop, hacer dedo, pedir un aventón, pedir raid, pedir jalón, pedir bote, pedir botella, pedir bola, pedir pon, jalar la goma... Pedir una cola, pues.

¿CÓMO SE LES LLAMA A LOS QUE NACEN EN CHIVACOA?

a Laura Rivero y a Militza Vásquez

I never feel sadness / I never feel pain
With my cunning and with my stealth
I don't need a brain
Emir Kusturica

A Caracas no se le habita, se le padece. Para atravesarla de punta a punta del reloj es conveniente sumergirse en cualquiera de las recetas del aturdimiento. La idea, después todo, es padecerla creyendo que se le disfruta. Está, por ejemplo, extraviarse en el *soundtrack* del Ipod a volumen bestial. Está el monte, la pega, el alcohol. Está la temeridad de la ostentación: una Avalanche tan larga como su inseguridad, una BMW poderosa y veloz, una pistolota, una cara de duro dentro de una chaqueta de cuero. O pincharse en las venas las Líneas del Poseso para colmarse de odio. También se puede subir a la acera con todo y carro, tocar corneta con impaciencia, comerse las luces del semáforo o ejercer cualquier modo de irracionalidad que ayude a andar por el filo perpetuo, con el vacío a un costado y la muerte al otro.

O beber de la euforia suicida. Esa que se activa los viernes tras el santo y seña del ¿qué hay pa´ esta noche? La que no conoce peligro, inflación, crisis ni parece asistir al *streaptease* más demorado que se conozca en los anales de las dictaduras.

En ese placebo andaba Andreína con unos compañeros del banco esa noche. Luego de dar vueltas sin suerte por Las Mercedes y El Rosal, terminaron encontrando lugar en un local a un costado de la Solano. Mesa para cinco, música bailable y cervezas frías. ¿Quién duda que Dios sí echa un ojo de vez en cuando?

A la tercera ronda ya habían olvidado qué celebraban. A la quinta pidieron una parrillita. A la séptima concluyeron que la

promoción de Ordóñez tenía una sospechosa relación con sus almuerzos con el gerente, y a la octava no notaron que ya sólo quedaban unas cuatro mesas ocupadas, aunque sí la repentina presencia de los tres tipos sentados en la mesa al lado del pasillo de los baños, frente a la caja.

No es que estuvieran mal vestidos. No es que tuvieran aspecto de delincuentes. No es que fueran feos (¡Nooo!, sentenciaron las tres chicas al unísono). Era algo indefinible, elástico, elusivo. Algo que inquietaba por alguna razón que ninguno atinaba a precisar.

La novena ronda les llegó de sorpresa. Los caballeros invitan, dijo el mesonero torciendo los labios en dirección a la mesa que estaba al lado de los baños. Con la del estribo, por cautela, iban a pedir la cuenta pero, con los primeros compases de una pieza de Willie Colón, una mano se extendió frente a Andreína.

Al levantar la vista, acertó en sus temores. En la mesa todos miraron de reojo haciéndose los concentrados en la conversación, pero ella hizo un paneo y dijo con la mirada una especie de tranquilos, no está pasando nada.

Le dio la mano y caminaron hacia la pista. Moreno, delgado, alto, una descripción que se ajusta a uno de cada cuatro tipos que pueden abordar a una chica en un sitio nocturno. De cerca, Andreína ratificó que, efectivamente: a) el tipo no iba mal vestido, b) el tipo no era feo en lo absoluto, y c) el tipo tenía algo intimidante que no era fácil de definir.

También que bailaba sabroso y que ella tenía tiempo con ganas de hacerlo. Quizá por eso último fue que bailaron como cinco piezas seguidas y, aunque no perdía su aire inquietante, ella se iba acostumbrando, sintiendo que era algo impersonal, como si manara de él sin que se diera cuenta.

Estamos hablando de una chica con diez cervezas encima y muchas ganas de bailar. Estamos hablando de que en Caracas hay que sumergirse en cualquiera de las recetas del aturdimiento. Y de que esa venía en un empaque "amable".

Pero estamos hablando, también, del típico cara o sello. Porque luego de la quinta pieza, ella volvió a su mesa y dijo, suave pero firmemente:

Vámonos.

Era la hora de la salsa brava. Luego de Willie Colón, vino Sonido Bestial. Y luego ¿Dónde vas, Chichi? Ella, heredera de una estirpe de bailarines, no se amedrentó. Los acompañantes de su pareja conversaban en voz baja y distendida, ajenos a ellos, trazando mapas imaginarios con las manos. Los muchachos hablaban entre sí pero no dejaban de observar a los bailarines de reojo. El tipo se lucía con sus pasos. Ella honraba su herencia.

El tipo, así como bailaba, hablaba. Y de todo. Y sin orden. Le dijo que Larry Harlow no hablaba nada de español, que los maricos que sesean y son peluqueros siempre son hijos únicos, que para que el perico no produzca impotencia hay que consumirlo tomando *whisky*, que él tenía un hijo en Chivacoa y que el carajito le pidió un *Wii* (¿Cómo coño se enteran los muchachos de Chivacoa que existe el *Wii*?), que ese pueblo no ofrece nada a los chamos y es horrible, que sólo lo supera Nirgua y eso porque es una guarida de atracadores retirados. Que vamos a ver si tú sabes, princesa: ¿Cómo se les llama a los que nacen en Chivacoa?

Andreína descubrió que no era una pregunta retórica, que su compañero de baile (Ernesto, fue el nombre con el que se presentó) esperaba una respuesta. Al verla dudar le dijo con aire decepcionado: No debería darte el regalo que te tengo, pero te lo voy a dar de todos modos. ¿Sabes por qué?

¿Un regalo? No, dijo Andreína, sintiendo que cervezas, baile, situación, la estaban dopando más allá de su dosis diaria de aturdimiento. ¿Por qué?

Porque eres burda de panita. Uno saca a bailar a una jeva en un sitio y siempre lo miran a uno de arriba abajo. Pero tú no, tú bailaste con el desconocido. ¿Y te pasó algo malo? No. Lo que te pasó es que el desconocido te va a hacer un regalo. Y te va a hacer el regalo aunque no sepas cómo se le dice a su chamo que nació en Chivacoa.

Hizo una pausa, como buscando el preciso orden de las palabras.

Tú y tus panas tienen cinco minutos para salir de aquí.

Nosotros vinimos a tirar un atraco. Lo que pasa es que me provocó echar un pie mientras esperábamos que llegara el carro. Y tú eres una chama panita y llegó el carro, así que vamos a lo que vinimos. Cinco minutos. ¿Te gusta el regalito?

Me estás cotorreando, le dijo Andreína con un aplomo que le era ajeno.

¿Te estoy cotorreando?, repitió el tipo imitando su voz y alzando las cejas con cara grave. Baja un pelo la mano pa´ve si te estoy cotorreando.

Andreina deslizó la mano por su espalda, a través de la lisa superficie de la chaqueta, y tropezó con un objeto duro incrustado en la pretina del pantalón. Recogió la mano como si le hubiera pegado corriente.

Shhhhh, tranquila, que es un regalo no una verbena.

Pero, ¿por qué van a hacer eso, vale?

Mira, mamita, aquí la pregunta es ¿Quieres el regalo o no quieres el regalo? Si lo quieres, terminamos esta pieza, pagan su consumo y se me van. Es el regalo que les sale a las jevitas que no miran feo a los tipos que quieren bailar un rato.

Cuando volvió al grupo, la expresión de su cara bastó para que la palabra vámonos convenciera a los muchachos de pedir la cuenta y dejar unos billetes sobre la mesa sin hacer preguntas. Entendieron sin entender, en medio de sus propios aturdimientos. Mientras caminaban a la salida, el tipo, que le explicaba algo a sus compañeros de mesa, se fue detrás de ellos y, luego de abrirles la puerta, le dijo a un gorila que estaba fumando afuera:

Estos salen.

Este sí es galán, dijo el gorila tirando el cigarro al piso y sacando una pistola que hizo un escalofriante sonido metálico cuando fue cargada con vigor.

El galán, dando la espalda a la calle, hizo lo mismo con una pistolota que, en efecto, sacó de debajo de su chaqueta.

Chivacoense, princesa, mi chamo es chivacoense, le dijo a Andreina cuando ella pasó a su lado, a la vez que echaba una rápida ojeada a la calle silenciosa.

Plomo, galán, dijo el otro, que esta noche la película es de acción.

Y empujaron la puerta bruscamente.

Mientras el grupo trataba de convencer a las piernas de aguantar hasta el carro, alcanzaron a escuchar a través del vidrio, como si saliese de las cornetas de un carro que sigue de largo, los insultos y las órdenes violentas de los atracadores.

Nadie mira nadie se pone bruto, escuchó Andreína como en una película en cámara lenta reconociendo con claridad el timbre de voz de su compañero de baile.

CUANDO EL DEMONIO LO LLAME A ESCENA

a Gustavo

Los tiranos siempre han sido ambiciosos y narcisos. Los de antes lo proyectaban edificando urbanizaciones obreras de cincuenta bloques de más de cien apartamentos cada uno, por decir alguna ambición bastante conocida.

Durante los primeros años los vecinos podían bajar a la oficina del Banco Obrero y solicitar un servicio de plomería, por ejemplo, el cual era gratuito.

No se crea que el paternalismo es un invento adeco.

Amelia no sólo llegó tarde a esas historias, sino que las ha visto alejarse una a una cada uno de los días que ha vivido en el bloque 40 de ese laberinto llamado 23 de Enero. Por haberlos visto o por haberlos oído, se sabe de memoria todos los cuentos. Fue testigo del momento en que comenzaron a apagar los ascensores a las diez de la noche para contrarrestar la ola de violaciones a las vecinas. Ha presenciado las distintas guerras por el control del bloque. Sabe que esa ciudad de casi cincuenta bloques (sin contar los pequeños) y *nosecuántos* barrios es una república independiente a la que no entra la policía. La han despertado en la madrugada los gemidos de hombres grandotes suplicando que no los maten. Y ha escuchado las detonaciones que hicieron caso omiso de esas súplicas. Ha visto cómo se fortalecen en armamento los diversos "colectivos" que apoyan al gobierno, y sabe que ya se vislumbra la Gran Guerra Final entre ellos.

Ha visto las consecuencias del carnaval con balas. Vio también a un hombre llamado Alberto llegar a su vida silbando, e irse asimismo unos años después. Dicen que vive con otra por ahí cerca, y aunque asegura que no le afecta, cuando Albertico, que ya tiene veinte, camina silbando por el pasillo, experimenta una crispación que no puede controlar.

A Amelia no le importan los malandros del bloque ni el

fantasma de Alberto ni la política. Le da igual que los vagos de siempre ahora digan que esa es una comunidad socialista. Como miles de sus vecinos, sólo sabe que su día comienza a las cinco de la mañana, que se gana el pan en una empresa en Boleíta y que cuando el Metro la suelta, allá en Agua Salud, a golpe (literalmente) de seis de la tarde, debe tener todavía fuerzas para agarrar la camioneta que la llevará hasta el bloque. Y que Albertico es un muchacho tranquilo, que tiene su novia y su trabajo, y que con un titánico esfuerzo lo ha ido llevando. ¿A dónde?, ni se lo pregunta, con lo molida que queda cada noche cuando pone la cabeza sobre su almohada.

El Bemba también se crió en el bloque. Lo conoce de cuando era Joseíto y tenía unos diez años menos que ella. Lo vio ir a la escuela como hasta cuarto grado y lo vio echarse a perder paso a paso. Siempre fue grande para su edad. Como los tiranos son ambiciosos y narcisos, se ha cincelado su leyenda a costa de sus decenas de cadáveres. Ya se dijo, el veintitrés es una república independiente. Y ahora socialista. La policía sube (en la mañana, claro) a recoger cadáveres, hacer preguntas para guardar las apariencias e irse con prisa. Hasta el próximo cadáver.

Sabio el demonio, que cuando encumbra a los hombres hasta la casa del Poder les deja abierta la puerta de su caída. Es una casa tan pequeña que sólo cabe un inquilino por vez. Como corresponde, tarde o temprano todos abren la puerta, jurando que lo que está al frente no es el abismo (si vieran la larga fila de aspirantes que está detrás, fueran sabios y no poderosos).

El instinto de supervivencia es un don que se atrofia si no se usa. Pero los poderosos se ensoberbecen tanto que llegan al escandaloso punto de desdeñarlo. Como todo poderoso, El Bemba lo había mandado de vacaciones hace tiempo. Confiaba ciegamente en sus compañeras, la Beretta y la Lugen. Nunca le fallaban.

Cuenta la leyenda que cuando prendía esos inmensos tabacos que se metía, y que nunca se supo exactamente de qué eran, nadie debía verlo a los ojos. Los que desoían esa conseja

pagaban su insolencia con su muñeco dibujado sobre la acera. Es decir, todo hombre prudente que presenciaba sus ritos, con sus dos pistolas en la pretina del pantalón, cerraba prudentemente su grifo de testosterona.

Nada cuesta bajar la vista unos metros ante la presencia de la muerte.

A la mañana siguiente se consolaban unos a otros cuando se encontraban en la parada. ¿Lo viste? Inmenso el tabaco, ¿no? Tiene amarillo el blanco de los ojos. Dicen que el muy sucio le pega a la mamá. Son dos pistolotas... ¿Cuándo coño algún cuatriboleao le va a pegar sus dos tiros a ese gran carajo?

Y a esa plegaria se sumaba la mamá, aunque a su manera:

¿Dios, cuándo te lo vas a llevar?, rogaba piadosa.

Solamente el demonio podría ser tan perverso para susurrar en la oreja del poderoso, en cada ocasión: ¿Para qué tienes poder si no es para usarlo? (que es su forma de decirle: mira esa puerta, ¡ábrela!). En fin, no era tan tarde el día que pasó "la chica". Era una nena de unos dieciséis años y era todo lo bella, sencilla, fresca y apetecible que puede ser una nena de dieciséis años. Como los genuinos asuntos del destino, ni siquiera se podría decir que fue algo personal. Ese grácil volumen en movimiento fue el picaporte que giró El Bemba. No teman, cosas peores ocurren a diario entre callejones y ascensores. Simplemente no reprimió el impulso de sopesar esas deleitables nalgas quinceañeras.

Cuenta la leyenda que la chica llegó a su casa llorando y, sin quitar ni poner una coma, relató a Albertico, su novio, lo que acababa de ocurrir. Mientras una corriente helada recorría su cuerpo, Albertico se retiró a su casa con expresión taciturna y meditó largo rato en silencio frente a una bifurcación imaginaria.

Dicen que eran como las doce cuando se escucharon uno, dos, tres tiros de un revólver, y luego una andanada de armas automáticas, acompañadas de un grito que, de lo desgarrado, asustó a los vecinos más que los plomazos. Cuenta esa leyenda que Albertico caminó derecho y sereno hacia El Bemba haciendo caso omiso de su famosa mirada torva y desenfundó

un treintiocho que alguien le prestó gustoso al enterarse de la empresa que se había impuesto. Dicen que sólo con el primer plomazo, que le entró por el hombro, El Bemba entendió lo que estaba ocurriendo, y que murió con una estúpida expresión de perplejidad, viendo al chamo acercarse mientras disparaba. Que Albertico, temblando todavía, lo despojó de las dos pistolas y sintió algo tan portentoso en el cuerpo que si no gritaba a todo pulmón vaciando las cacerinas al aire, hubiese muerto de terror en ese instante.

La alegría de la gente fue efímera. Dicen que el demonio nunca descansa. Ahora susurra en la oreja de El Albertico, que hace tiempo dejó a aquella noviecita:

¿Para qué tienes poder si no es para usarlo?

Algún muchacho, de esos que sus mamás recogen temprano, tomará obediente el testigo cuando el demonio lo llame a escena.

Su propio santoral

a mi querido pana Edmundo
a Yadira Pérez

"Oh, muerte, ven callada, como sueles venir en la saeta..."

Para unos pocos pensar en el tránsito por la tierra es una virtud. Para la gran mayoría, no entender del todo de qué va la vida es un indiscutible consuelo. Una ganga. Caminar desorientados entre el tumulto, como perros recién abandonados, termina siendo el mejor sedante para atravesar esa larga calle que se llama vida.

No era el caso de Marielba.

Fue amamantada con el relato de una épica personal hecha con trozos de recuerdos, exageraciones y superlativos provenientes de la memoria de unos padres viejos. Iba a ser una cesárea electiva y a la mamá (con un embarazo de riesgo a los 45 años) se le adelantó el parto. Un desprendimiento de placenta. Una beba ahogándose en sangre. El clásico ¿la madre o la hija? La cesárea de rutina convertida en emergencia, con anestesia general incluida. El manido cuento del súbito viaje a un mar de playa azulísima. En otra versión era un cañaveral. En otra, la casa de la remota infancia. Lo inalterable es que en esa plácida soledad, la madre escuchó una voz que la llamaba por su nombre y le ordenaba volver.

Yo iba a tener una niña, recordó a su regreso. ¿Y la niña?, preguntó asustada.

Vas a tener que ponerle Marielba, le dijo la voz que la trajo de vuelta, porque trabajé duro para que tú y ella se quedaran con nosotros. La niña tardó mucho en respirar, así que podemos esperar complicaciones.

Las complicaciones se verificaron en una niñez y una adolescencia andadas con el interruptor de a toque. Con un perenne cable flojo en su circuito. Convulsiones, epilepsia,

primidona, fenobarbitol, carbamezapina, primeros auxilios, efectos secundarios, números de emergencia anotados en la lonchera, en una plaquita colgada al cuello, en el bulto, fueron las palabras que desentrañaban (o sujetaban) para ella el misterio de la vida.

Y si para ella no fue fácil, para sus padres viejos la zozobra tenía un dibujo preciso de líneas siluetadas con un bisturí. Veían crecer a su única hija con las mismas demandas de las chicas de su edad: libertad y autonomía. Sólo que a la de ellos solía *reseteársele* su registro de operaciones sin previo aviso. Y año tras año cocinaban su angustia con ingredientes llegados a diario de la calle y de los titulares de prensa: libidinosidad a granel, cobardía, descomposición social, violencia sin sentido, misoginia, una cultura de chistes sexistas, silencio cómplice. Y una nena que podía convulsionar lejos de los suyos quedando a expensas de una ciudad que, para sus padres, sólo podía ofrecer maldad.

Para Marielba, la lucidez consistía entonces en esperar el día para el que fue preparada toda su vida. Para sus resignados padres viejos, la tragedia era una lotería que rozaba el nombre de su hija en cualquier repique telefónico inesperado, en una pisada inusual frente a la puerta de casa, en una fiesta de la chica, en un carro sospechoso.

En esas brisas frías que se colaban durante los atardeceres de enero.

Era saber que el cheque con el que se paga la felicidad de reunir a los seres queridos a la hora de la cena, se cobraba todos los días con la redoblada angustia de esperarla. Y cada noche la opresión crecía en la medida que Marielba tardaba en llegar. Y cada mañana, al despertar, se preguntaban si contarían con la misma buena suerte del día anterior.

Porque si es una hazaña tener éxito en atravesar ese cotidiano camino de la oficina a la casa, en una ciudad como Caracas, es fácil hacerse una idea del tamaño de la epopeya de los padres de Marielba de llevarla hasta la otra orilla, la de la adultez, luego de verla salir y regresar a casa todos los días de todos esos años.

Y aprendió a crecer dentro de las reglas de su propio juego.

Vivir en ese equilibrio de cuidarse de los excesos, pero también del desmedido control de esos excesos para evitar quemar la anémica lámina de su fusible. Aprendió también que la mente es una gran caja atiborrada de sensaciones de todo tipo, y que la llamada realidad es acaso la mayoría estadística en la apreciación de esas sensaciones.

Sabía cuando se encontraba en el umbral de un ataque porque, de pronto y sin aviso, podían acudir a sus sentidos las percepciones más impredecibles. Un intensa franja fucsia atravesar su campo visual. O ver por un momento la calle en blanco y negro. O un súbito olor a café. O el sabor incuestionable de una pizza con anchoas... Y luego el cortocircuito. Y la Nada. Y nacer nuevamente en este mundo recuperando por retazos las coordenadas de su ubicación en él.

Y llegó a los 25 años con una vida casi normal. Y terminó por acostumbrarse a vivir y a esperar El Gran Ataque, el que según sus padres la dejaría a expensas del mal, en una ciudad cada vez menos noble, más descreída. Más maldita. Y así, tuvo sustos y tuvo ataques menores sin consecuencias. Y tuvo carro y tuvo novio y tuvo mucho sexo enamorado y tuvo un día una noticia que dar a sus padres.

Quiso celebrar esa noticia como una chica caraqueña normal, cenando y tomando con unas amigas, escapada de ese novio sobreprotector con el cual se libró de unos padres sobreprotectores. Al día siguiente desayunarían junto a esos padres para darles la noticia.

Eran cerca de las diez cuando volvía a casa en su carro. Había decidido bajar la presión al control. Había decidido desmontar poco a poco sus mitos fundacionales. Esa noche decidió que se fundiría en el universo de las chicas normales que beben y celebran, se embarazan y sueñan irreverentes con el futuro, a pesar de una ciudad que sabe agredir todos los sentidos, sin demostrar preferencia por ninguno.

Cruzaba la oscura soledad de Los Caobos, la avenida Andrés Bello, Maripérez, buscando la Cota Mil, cuando un intenso olor a naranjas invadió el interior del carro. Estaba tan relajada que tardó un par de segundos en entender. Cuando lo hizo

ya no había mucho espacio para las maniobras que creció practicando. Antes de que la bruma colmara su campo visual, alcanzó a ver las luces de una gasolinera solitaria y logró llevar el carro, acelerando y girando sin precauciones, hasta detenerlo frente al surtidor de aire.

Debía venir fuerte, porque la fragancia a naranjas era de una precisión aterradora. Abrió la puerta buscando aire y sintió el frío sordo de la noche. El sitio estaba solo. Ya casi sin ver, reconoció la figura de un hombre salir de los baños de la gasolinera. Un hombre caminaba hacia ella en esa oscuridad que todo se lo comía.

En las grietas de voluntad con las que su instinto procuraba dar la batalla, quiso disuadirlo advirtiéndole que su papá era ministro... que su novio era policía. Quiso apelar a cualquier estrategia con las que las chicas pretenden mantener el mal a raya con inocentes chantajes, pero apenas pudo dar un paso fuera del carro antes de caer desplomada, mientras escuchaba, a lo lejos, una voz de hombre.

¿Qué fue, flaca?

Se zambulló de cabeza en el agujero oscuro del apagón sabiendo que fue educada por sus padres toda su vida para esperar ese momento. Que en su religión ella era el cordero de algún dios. Que su sacrificio debería tener algún sentido, oscuro o luminoso.

Despertó.

Había un fuerte olor a gasolina y a aceite de motor. Como siempre en esos casos, no tenía muy clara su identidad ni su ubicación en el planeta. Descubrió que el olor venía de un trapo en que reposaba su cabeza a manera de almohada. Vio un cuarto mal iluminado lleno de cauchos. Recordó dónde estaba cuando escuchó la misma voz de antes del apagón, decirle:

Bien fea que te pusiste, flaca.

De inmediato, indignada, se palpó el cuerpo, y descubrió que estaba vestida. Llena de grasa, pero completamente vestida. El odio se convirtió en desconcierto.

Te traje para acá porque andaban rondando unos tipos raros

en un carro.

Enfocó la mirada y vio a un muchacho moreno de unos veintitantos años, con una braga de mecánico en la que no cabía una mancha más. Se permitió entonces soltar las lágrimas que la estaban asfixiando.

Gracias, fue lo único que pudo decir.

¿Tú tienes novio?, le preguntó el muchacho adelantando la cabeza con una sonrisa de galán y una falsa ceja arqueada.

Estoy embarazada, le dijo ella con ternura.

Vas a tener que ponerle Jacson, le dijo el muchacho, porque te pasa eso en la calle y no lo cuentas.

¿Y si es hembra? ¿Jacsan?, le pregunto Marielba, sonriendo y sintiendo que cerraba un viejo ciclo.

¡Nooo, qué va! dijo el muchacho con cara solemne: Si es hembra le pones Micaela, como mi vieja.

MIEDO

Every man... every man has to go through hell to reach paradise.
Max Cady

Después de todo, en Caracas se vive como en cualquier ciudad del mundo.

Se vive, se crece, se busca, se encuentra como en todas partes. Se pierde, se gana, se enamora y se despecha como en cualquier ciudad del mundo. En Caracas se puede conocer la sorpresa del primer beso, del concierto de despedida, de la primera cama, de la inesperada reconquista, del último amor. Como en cualquier ciudad del mundo. Podría decirse que, como en cualquier ciudad del mundo, en Caracas la gente hasta puede aspirar a ser feliz.

De no ser por el miedo.

Orlandito tenía miedo de ser distinto a los panas con los que bebe cerveza en las tardes, por eso se cuidó de involucrarse apenas lo indispensable en el trabajo que consiguió de mensajero en un instituto de computación. Y por el mismo motivo rechazó los cursos que le ofrecían gratis, con todo el paquete que la dueña llamaba "oportunidades de superación".

Tenía miedo de la vieja, de sus maneras seguras, de su interés hacia él, del marido que miraba con recelo cada vez que iba al negocio... No lo sabía, pero a lo que realmente temía era a que la vieja algún día se aburriera y él se quedara en medio de ningún lado, parecido a nadie, ni a ella ni a sus panas.

Por miedo a que los panas creyeran que él comenzaba a sentirse superior con la nueva chambita no sólo rechazó los cursos y las oportunidades, sino que, entre cerveza y cerveza, comenzó a vanagloriarse de su malicia, contando cómo la vieja le dejaba la caja "pagando". No tardó en temer, además, que lo creyeran débil, y para tener cosas qué contar, comenzó a consumir pequeñas fechorías.

Es decir, por miedo, pasó de los cuentos a las cuentas.

La vieja le tenía tanto "cariño" que estaba dispuesta a dejarle pasar esas pequeñas fechorías delatadas en el cuadre de caja, pero un día el miedo le atravesó el sueño como el corte limpio de una hojilla y se despertó sudando. Dos, tres noches de pesadillas con Orlandito de protagonista detrás de una capucha, la obligaron a contarle todo a su marido. Sabía que con ello le cerraba la puerta a su empleado, pero se la abría al sueño relajado.

De todos modos, ya el miedo se las arreglaría para obsequiarle nuevas pesadillas.

Orlandito podía convenir que abusó y que estaba justamente botado. Pero los panas no pensaban igual. Sobre todo el cuñado. Y comenzaron a bombardearlo con argumentos "irrefutables" que demostraban lo equivocado que estaba. Los mismos incluían la notoria desventaja en la cual quedaba después de cuidarle tanto el negocio a esa vieja mientras él se quedaba "en el aire".

Entonces, por miedo a lo que pensaran de él, comenzó a escuchar, primero, y a acariciar, después, el plan de su cuñado, una noche mientras bebían. Es decir, lo montaron en la olla y le cocinaron el odio en salsa de anís sin que se diera cuenta.

Una moto, un revólver y un entrompe fueron sus amuletos contra el miedo.

La información de Orlandito y la experiencia del cuñado hicieron una llave que abriría cualquier candado. No había caída, se repetía una y otra vez la noche del jueves, para poder dormir.

El viernes siguiente, luego de haber repasado varias veces el baile, estaban rodando en la moto al encuentro de su conocida víctima. Conocida de hace un tiempo, víctima desde el instante en que la apuntara con el frío y metálico presagio, junto a la precisa instrucción de que bajara el vidrio para que entregara dócilmente el sobre, que el cuñado de Orlandito bautizó como el Paro Forzoso.

Pero el miedo siempre se mete donde no lo han llamado.

Lo esperaban más o menos los riesgos típicos del oficio. Pero para el que no tiene el callo hecho era un campo minado. Era atravesar la frontera de un país en guerra. Intentar un *squeeze play* en el noveno con dos *outs* sin probabilidad de éxito. Caminar por un callejón desconocido en la madrugada. En tiempo real el asunto tiene otro ritmo. Más gente y más carros en la calle de lo que él esperaba. Un par de motos de policías que se les atravesaron camino al sitio. Una repentina certeza de que todo el que tuviese chaqueta o lentes o gorra o bolso era un policía esperando que él se resbalara.

El miedo, pues. El miedo en su presentación más elemental.

¿El resultado? Que llegado el momento, titubeó un instante. Uno de esos instantes de más o de menos que han sido los autores materiales de la tragedia o la lotería de tanta gente. ¿Las consecuencias? Que lo que era una coreografía bien estudiada se convirtió en un baile improvisado de estilo libre. ¿El epílogo? Que al ver cómo se le resbalaba un negocito en el que no había caída comenzó a repartir miedo en proporciones iguales entre todos los que les tocaba entrar en escena.

La vieja vio corporizadas sus pesadillas (los ovarios le dijeron que el de la capucha era Orlandito porque sí) y, contrario a lo que le pudiese dictar el sentido común, no pudo contener el grito mientras aceleraba el carro y lo clavaba contra un negocio a unos cinco metros.

Todas las ventanas de locales, oficinas y carros circundantes comenzaron a producirle piquiña a Orlandito en la espalda. Eso hizo que siguiera la trayectoria del vehículo con el cañón del revólver y halara el gatillo. El tiro errado fue a rozar el muslo de un hombre que caminaba con su familia por esa acera en ese preciso momento, y al no sopesar la suerte que había tenido (es decir, que entró en la lista de los instantes que regalan fortuna y no tragedia), entró en pánico al ver su pierna sangrando de pronto, por lo que se refugió en un restaurant chino que estaba al lado, en el que una china vieja ordenaba manteles en soledad. La vieja china entendía muy poco español y lo único que quería era que esa rara historia de gritos y piernas ensangrentadas

y estruendo en la acera se salieran de su local. Ella no quería problemas. Es decir, no quería desempolvar su miedo a que llegaran autoridades pidiendo documentos de identidad que no existían.

El hombre no podría explicar qué le había pasado. Sólo sabía que su mujer y su hija aparentemente estaban a salvo y que un carro se estrelló contra una pared a unos pasos de ellos y que escucharon un disparo que debía guardar relación con su pierna ensangrentada. Por eso la mujer del hombre dejó escapar su miedo y comenzó a insultar a la china, tildándola de insensible. Eso, por supuesto, aterrorizó aún más a la china, por lo que blandió un largo tenedor en contra de sus agresores.

En el negocio de al lado también sintieron miedo cuando escucharon el trueno que hizo temblar las paredes y, en medio del polvo, vieron emerger la trompa de un carro azul, como una ballena metálica del profundo océano. Orlandito y el cuñado aprovecharon la confusión para desaparecer, dejando atrás a cada quien con su miedo. Miedo al ruido, a salir heridos sin saber por qué, a no entender lo que te dicen, a la policía que llegó sospechando de todo el mundo, a que los acusen de algo que no hicieron, a que los confundan con los que sí lo hicieron, a la lotería de todos los días, a llegar tarde o haber llegado demasiado temprano...

Y con tanto miedo revuelto se despierta el de los policías, que es de los más peligrosos, porque se disfraza de otros de aspecto "respetable", pero es más primitivo. Y se sabe que cuando el miedo se apodera de sus cuerpos, su poca sensatez es dada de baja.

Y de inmediato, como un alud, como una tormenta que se anuncia, se repliega y se vuelve a anunciar hasta que al fin estalla, se va expandiendo por toda la ciudad, como una entidad con vida propia, como una versión gigante del viejo Pacman, devorando todo organismo vivo para tomar el control, mutando y cambiando de aspecto para hacerse fuerte. Alimentándose. Como un virus.

Y son los policías dando el alerta por radio, y es la gente que

lee en *twitter* acerca de un atraco con heridos en pleno desarrollo, y son las alcabalas en las que caerán todos los motorizados que vengan del trabajo, y son los que las eluden y amenazan a los carros que se les atraviesan, y es la gente llamando a sus seres queridos que se supone andan por esa zona... Y es el miedo sobreviviendo a costa de transformarse en todas sus caretas conocidas: abuso, arbitrariedad, violencia, indolencia, desconfianza, odio... Y es que el amor es complaciente pero si con alguien no puede vivir es con el miedo. Y se esconde. Y se rinde la ciudad a la jauría.

Hasta nuevo aviso.

En Caracas se estaría bien, después de todo. De no ser por el miedo.

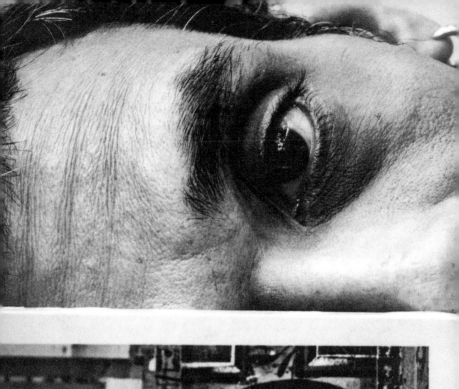

DE UNA GUERRA NO DECLARADA